杨红樱，四川省作家协会副主席，曾做过小学老师、儿童读物编辑和儿童刊物主编。

19岁开始发表儿童文学作品，现已出版童话、儿童小说五十余种。已成为畅销品牌图书的系列有：《杨红樱童话系列》、《杨红樱校园小说系列》、《淘气包马小跳系列》、《笑猫日记》系列。其作品总销量超过5000万册。

曾获中宣部"五个一工程"奖、中国出版政府奖图书奖、中华优秀出版物图书奖、全国优秀儿童文学奖、冰心儿童图书奖等奖项。

作品被译成英、法、德、韩等多种语言在全球出版发行。

在作品中坚持"教育应该把人性关怀放在首位"的理念，在中小学校产生了广泛的影响，多次被少年儿童评为"心中最喜爱的作家"。

《笑猫日记》系列，获第二届中华优秀出版物图书奖，连续三次荣获全国年度最佳少儿文学读物奖，《笑猫日记·那个黑色的下午》获第二届中国出版政府奖图书奖。

马小跳 的表妹 杜真子 有一只猫，他会笑。还记得吗？

杨红樱 著

明天
出版社

会唱歌 Hui Changge
的 de Mao
猫

目录

片片黄叶飘落的时候，
一个小小的愿望，
开始在二丫的心里悄悄生长。

为了帮助卖报的聋哑老人，
二丫拜鹩哥为师，
不分昼夜地练习说人话。
终于有一天，
人们惊喜地发现，
这座城市里出现了一只会叫卖报纸的猫。

圣诞夜降临了。
圣诞老人来到了二丫的梦中，
带着她走进了一间陌生的病房，
走上了一段神奇的成长之旅。

不久，每天深夜，
那间病房里便会回荡着
《鲁冰花》那凄美的旋律。
难道，那是天使在歌唱？

角色档案

ㄜㄚ

　　成长中的小猫已有了悲天悯人的情怀。为了帮助一个卖报的聋哑老人，她学会了吆喝；为了帮助一个小女孩唤醒昏迷中的妈妈，她学会了唱歌。

才华横溢的鹩哥说起人话来，字正腔圆。他不仅能模仿男人的声音、女人的声音，还能模仿许多种电话铃声和其他各种各样的声音。他还是个天才的歌唱家，演唱技巧高超，音色完美无瑕。

鹩哥

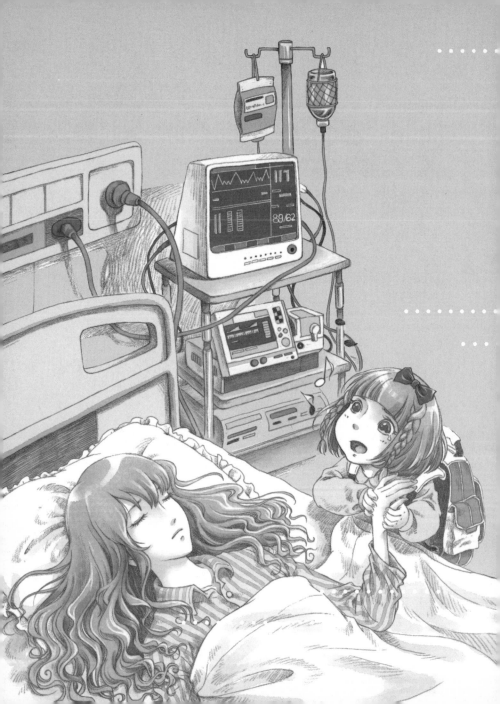

依依的妈妈

在一场车祸中，她为了救女儿而受重伤，成了植物人。后来，在《鲁冰花》的旋律中，她终于苏醒了过来。

依依

在一场车祸中，她失去了爸爸，妈妈因重伤而成了植物人。为了唤醒她的妈妈，依依每天都在妈妈的耳边唱妈妈最喜欢的那首歌——《鲁冰花》。

笑猫

很多的心情，这只猫都是用笑来表达的。他会微笑、狂笑、冷笑、狞笑、嘲笑、苦笑，还会皮笑肉不笑。笑猫是一只有思想的猫，相信性格决定命运。他喜欢观察人，也能听懂人说的话。

球球老老鼠

一只老得不知活了多久的老鼠，翠湖公园里所有的老鼠都是他的子子孙孙。他是一个哲学家，也是一个幽默大师，很狡猾，但还有一点点良心。他不算好老鼠，也不算坏老鼠，是介于好老鼠和坏老鼠之间的不好不坏的老鼠。

为营救黑旋风，老老鼠献出了自己的尾巴，万年龟朝他吹了一口仙气，将他变成了一个圆滚滚的球。

安静
！

谁在别墅里说话

这一天 | 天气：秋风吹，吹散了天上的云，吹皱了翠湖的水，吹落了银杏树上的叶。已进入深秋了。

我喜欢翠湖公园的秋天。秋天里最美的景致莫过于翠湖公园里那一树树被秋风吹黄的银杏叶。每一片银杏叶都像一把精致的小金扇，秋风吹过，小金扇从树上旋转着落到地上，先是薄薄地铺上一层，然后再铺上一层，一夜工夫，便铺上厚厚的一层了。我喜欢踩在落叶上时所听到的沙沙的声音。可我必须在天亮之前就赶到银杏林去，因为天亮以后就有环卫工人来扫落叶了。

　　在银杏叶纷纷飘落的这些日子里，每天天不亮，我就会来到银杏林，只为了踩踩落叶，听听从脚下传来的沙沙的声音。球球老老鼠也每天天不亮就赶到银杏林里来见我。今早，他比我来得还早呢。

　　"笑猫老弟，你怎么迟到了？"

　　我说："不是我迟到了，是你早到了。"

　　"反正我也睡不着。"球球老老鼠突然伤感起来，"自从三宝找到了黑骑士，我就整夜整夜地睡不着！"

　　"我和虎皮猫是三宝的亲爸亲妈，我们都没有睡不着，你何必……"

　　球球老老鼠说："以前，虽然你不让我接近三宝，但我还能远远地望一望他。现在，我已经好多天没见着三宝了，这心里呀，空荡荡的……"

　　"这是必然会发生的事情。"我说，"三只小猫都已经长大。现在是他们离家独立生活的时候了。"

　　"你是说，胖头和二丫也要离开你们吗？"

　　"是呀！孩子长大了，总要离开父母开始自己的生活。"

"那……虎皮猫舍得吗？"

"肯定舍不得。"我说，"但是，父母不能因为舍不得，就把孩子拴在身边，因为那不是爱孩子，那是害孩子，是极端自私的表现。你说，是不是？"

"那是，那是！"球球老老鼠感慨道，"笑猫老弟，我虽然有数不清的子孙，但我从来没有好好地教育过他们，所以他们中没有一个是有出息的。活该他们只能过不见天日的生活。而胖头、二丫和三宝，他们却都有光明的未来。我顺便问一句，胖头和二丫是不是也找到离家之后独立生活的地方了？"

我说还没有。我知道球球老老鼠见多识广，便问他有没有好的地方可以推荐。

"让我想想，让我想想……"球球老老鼠在落叶上慢慢地滚来滚去，"这地方不能太远，太远了，你和虎皮猫要见他们就不容易了；这地方也不能太近，太近了，他们也许会经常跑回家，那样，就达不到让他们独立生活的目的了。"

我不得不佩服球球老老鼠思虑周全。于是，我附

和道:"这地方最好不远也不近。"

有好一会儿,我和球球老老鼠都没有再说话。我的耳边只有球球老老鼠在落叶上滚动时所发出的沙沙的响声。突然,球球老老鼠大叫一声:"我想到了一个地方,非常适合二丫!"

我忙问:"什么地方?"

"小白住的那座别墅。"

贵妇犬小白住在城郊的一座别墅里，他的主人是一位优雅美丽的女人。我和球球老老鼠到那座别墅里去过几次，我还和小白的女主人在一起喝过下午茶呢。我记得她喜欢吃鲜花饼，喜欢喝蜡梅花茶。

"你推荐的这个地方不错！"我打心底里认同球球老老鼠的建议，"上次去小白家，我就看见花园里有老鼠。二丫到小白家去，正好可以一展身手。"

"我不是这个意思。"球球老老鼠有些不快地摇了摇头，"让二丫去捉老鼠，那是大材小用。"

我反驳道："猫捉老鼠，天经地义。怎么能说那是大材小用？"

"我的意思是，能捉老鼠的猫遍地都是，而高贵优雅的猫，却堪称凤毛麟角。二丫如果能到那座别墅里去每天感受小白女主人的气息，那么成为一只高贵优雅的猫对二丫来说就是指日可待的事情。"

我刚想继续反驳球球老老鼠，却看见环卫工人扛着大扫帚来扫落叶了，于是赶紧和球球老老鼠一起离开了银杏林。

回到秘密山洞后，我回味着球球老老鼠刚才讲的话，又将二丫的个性特点仔细地分析了一遍，不由得笑了起来。

刚吃完早餐的二丫，走到我跟前，好奇地问道："爸爸，您笑什么？"

"我笑了吗？"我连忙把脸上的笑收了起来，"二丫，我今天想带你去一个地方。"

"什么地方啊？"

"小白住的那座别墅。你想去看看吗？"

"我对小白住的那座别墅并不怎么感兴趣，我倒是对小白的女主人很感兴趣。"二丫一脸神往的表情，"我总是听您说小白的女主人多么多么美丽，多么多么优雅，可我直到现在还没有见过她呢。"

我带着二丫飞奔到城郊。

小白住的那座别墅就在城郊。一进别墅区，我就看见了那座熟悉的有白色格子窗的尖顶房子。

"看，那就是小白的家！"

小白家的前花园里，停着一辆车，司机正在往后备箱里装行李。

我悄声对二丫说："小白的女主人又要出远门了。"

这时，小白从屋里出来了。紧接着，他那身穿米色风衣、戴着墨镜的女主人也出来了。她那长长的鬈发在秋风中轻盈地飞舞着。

"啊，"二丫低声赞叹道，"她真的很美！"

小白的女主人上了车，小白也跳进车里。

车开走了。

二丫问我："小白也要跟着他的女主人出远门吗？"

"不会。"我说，"小白要看家呢。"

二丫不解地问道："小白不是上车了吗？"

我说："小白是送他的女主人去机场，过一会儿，小白就会回来的。"

这是上次我见到小白时，他告诉我的。小白说，他的女主人每次去机场都会带着他，跟他在机场告别，他会一直目送着他的女主人走进候机楼，然后由司机把他送回别墅。

"小白肯定是去机场最频繁的狗狗。"我说,"小白究竟去了多少次机场,恐怕连他自己都记不清了。"

二丫羡慕地说:"小白的生活多有意思呀!"

既然已经来了,我便决定带二丫参观一下小白家的花园。

我们从前花园一路走到了后花园。后花园里有一棵很大的桂花树,我和二丫轻松地爬了上去。透过白色格子窗后面那薄薄的窗幔,我们可以看见悬挂着水晶灯的明亮的客厅。

"爸爸,我听见客厅里面有声音!"

我竖起耳朵,果然听见从客厅里传来了电话铃声,紧接着又传来了人说话的声音。

"你好吗?"这是一个女人的尖尖的嗓音。

"你好!"这是一个男人的低沉的嗓音。

屋里有人!

我和二丫赶紧从树上溜下来,一口气跑回了翠湖公园。

会说人话的鹩哥

第二天 | 天气：翠湖公园里的观赏菊差不多都谢了，路边的野菊花却开得正艳。晚上，有一弯细细的柳眉月挂在夜空。

"爸爸，您不是说那座别墅里只住着小白和他的女主人吗？"

这个问题，二丫已经不知问了多少遍。

"是呀！我去过好多次，都没有发现那座别墅里有其他人。"

但是，我昨天分明听见从那座别墅里传出了电话铃声和人说话的声音。那会是谁呢？

为了解开这个谜,我和二丫一早就从翠湖公园出发,再次飞奔到城郊。

我们赶到了小白住的那座别墅，匆匆穿过前花园，走进了后花园。后花园连着一片湖水。这个湖虽然不如翠湖大，却十分幽静。湖面上，有几对相亲相爱的鸳鸯在快活地游来游去。

我们得藏起来等小白出来，不能让别墅里面的人发现我们。

等了好一会儿，我才看见小白叼着一个垃圾袋，从厨房里走了出来。

我压低嗓门儿叫道："小白，过来！"

小白将垃圾袋扔进垃圾箱，跑到了我们跟前。见我们躲躲藏藏的样子，他很是诧异："笑猫，你怎么不进去找我？"

我前几次来，都是直接到别墅里去找小白的，即便小白的女主人在家，我也可以直接进去，因为她认识我。

我还是压低嗓门儿问小白："家里来人了？"

"没有人哪！"小白说，"我的女主人出远门了，

我昨天刚去机场送走她。"

"我知道。"我告诉小白，"昨天你们走了以后，我听见你家的客厅里有电话铃声，还有人说话的声音。"

"真的？"小白把本来就很圆的黑眼睛瞪得更圆了，"什么时候？"

"就在你和你的女主人离开家几分钟之后。"我说，"我先听见了电话铃声，然后听见了一个女人说话的声音和一个男人说话的声音。"

"不可能啊！"小白用不容置疑的语气说，"这座别墅里一直就只有我和我的女主人，绝对没有其他人。不信，你们就进来看看吧！"

我和二丫跟着小白走进了客厅。小白嗅遍了客厅里的每一个角落，他还钻到沙发下面去仔细地嗅了嗅。

"没有哇！"小白说，"这客厅里除了我女主人的气味，根本就没有其他人的气味。"

"我们去二楼看看！"我有些不甘心。

二楼是小白女主人的书房。临窗放着一张大书桌，紧贴着其余三面墙壁的全是巨大的书橱。书房里十分整洁，让我一目了然。这里也没有人。

"我们去三楼看看！"我还是有些不甘心。

三楼是小白女主人的卧室。我跟着小白钻到大床底下，钻到窗帘后面，还去了卫生间和衣帽间，我们依然没有发现任何陌生人的痕迹。

"我就说嘛，这别墅里不可能有其他人。"

小白刚说完，一楼的客厅里就传来了电话铃声，紧接着又传来了一男一女的说话声。

"我不爱跟你讲话！"这是一个男人的声音。

"我不爱跟你讲话！"这是一个女人的声音。

"你听见没有？"我对小白说，"一个男人和一个女人在说话。"

小白却说："这不是人在说话，是我家的鸟在叫。"

我知道小白听不懂人话，可我听得懂啊！我清清楚楚地听见客厅里有人在说话。这怎么可能是鸟在叫呢？

我们从三楼冲到了一楼的客厅。我发现在一面落地窗的上方，挂着一个鸟架，鸟架上站着一只玉嘴黑鸟。那黑鸟头顶的一撮毛堆成宝塔形，梳得光溜溜的，

让黑鸟显得有款有型，特别酷。

我认识这种鸟，知道这叫鹩哥。马小跳的奶奶家就有一只这样的鹩哥，他也会说人话，但他说人话的声音跟人说话的声音还是有区别的，听上去总是鸟声鸟气的。更重要的是，马小跳奶奶家的那只鹩哥不能一会儿模仿男人说话的声音，一会儿又模仿女人说话的声音。

我们抬头望着鹩哥。鹩哥居高临下，一会儿把头歪到这边，一会儿又把头歪到那边，他也在打量我们。

我精通动物界的各种语言。于是，我用鸟语跟鹩哥打招呼："你好吗？"

鹩哥马上用鸟语回应道："你好！"

我向鹩哥自我介绍道："我叫笑猫。"

鹩哥说:"我看出来了,你是一只会笑的猫。"

"我和小白是好朋友。"

"我也看出来了。"鹩哥歪着头,继续打量着我,"你是猫,怎么会说鸟语?"

"我精通动物界的各种语言。"

鹩哥又问我:"你会说人话吗?"

"我听得懂,但不会说。"我冲鹩哥友好地笑了笑,"刚才,是你在说人话吗?"

"是的。"

"我刚才听到一个男人和一个女人在说话。难道那些说话声都是你模仿的?"

"是的。不信,我再说给你听听。"

鹩哥伸长脖子昂起头,发出悦耳的女人的声音:"我不爱跟你讲话!"

鹩哥缩紧脖子低下头,又发出了低沉的男人的声音:"我不爱跟你讲话!"

千真万确,刚才我们在三楼听见的一男一女的说话声,就是鹩哥模仿的。

"那么，电话铃声也是你……"

"我最擅长的就是模仿电话铃声。不管是办公室里的电话铃声、家里的电话铃声，还是大老板的手机铃声、年轻姑娘的手机铃声，我都能模仿。你听！"

接下来，鹩哥至少模仿了七八种电话铃声，都挺像的！

从客厅里出来后，我问小白："鹩哥是什么时候来你们家的？"

"没多久，也就几天吧。"小白说，"是女主人的一个朋友送来的。"

我告诉小白，鹩哥是个语言天才，我见过很多会说人话的鹩哥，但从来没见过能把人话说得这么好的鹩哥。

"难怪他和女主人在一起就叫个不停，原来他是在说人话呀！"

我看了看小白，问道："你好像有点不高兴？"

小白说："自从他来了以后，女主人跟我待在一起的时间就比以前少多了。"

"你吃醋了？"我打趣道，"你怕鹩哥会取代你在女主人心中的位置？"

"才不是呢！"小白说，"我是不喜欢他太爱表现自己，还爱耍酷。"

小白之所以说鹩哥爱耍酷，是因为鹩哥每天都会花很多时间入迷地设计并打理他那独特的发型。小白告诉我，鹩哥一天不知要梳多少次头，每次，他都先用水将头顶的羽毛梳得油光水滑，然后开始仔细地设计造型，他把头顶的羽毛通通往上梳，很快，他的头上便有了一个尖尖的顶。

二丫对鹩哥标新立异的发型并不怎么感兴趣，她感兴趣的是鹩哥会说人话。

在回家的路上，二丫问我："爸爸，你刚才一直夸这只鹩哥说人话说得非常好。究竟好到了什么程度？"

"好到了以假乱真的程度，"我说，"好到了我闭眼一听，觉得他说话跟人说话没什么两样。"

"那么，"二丫无限神往地说，"我的愿望终于可以实现了！"

我说："你的愿望不是做一只像你妈妈那样优雅、

那样高贵的猫吗？"

"那只是我的一个愿望。"二丫说，"我还有一个愿望。那就是像您一样，成为一只能听懂人话的猫。以前，我以为我的这个愿望实现不了……"

我明白二丫的意思。我之所以能听懂人话，是因为我曾经有非常特殊的学习语言的环境。那时，我住在杜真子家，杜真子常常把她的心里话讲给我听。于是，我慢慢地便能听懂人话了。可是，在二丫的生活环境里，并没有一个能常常陪伴二丫的人，所以她当然听不懂人话。

"今天，一见到这只说人话说得这么好的鹩哥，我就知道我的这个愿望终于可以实现了！"二丫一边兴致勃勃地说着，一边飞快地朝秘密山洞跑去。

二丫的梦想

过几天 天气：秋风劲吹，仿佛要将挂在树上的黄叶通通吹落，以便为冬天的到来拉开序幕。

二丫是不是能够去小白住的那座别墅里开始她新的生活，最终还是要等小白的女主人回来以后，看看女主人是不是能够接纳二丫。我已经跟小白说好了，在他的女主人回来之前，让二丫每天都去别墅熟悉那里的环境，同时，也看看二丫能不能跟小白好好地相处。

昨天，我问小白："你觉得二丫怎么样？"

"很好哇！你看，她才来了几天，花园里的老鼠就都被消灭光了。"小白对二丫赞赏不已，"二丫真是

像极了虎皮猫，连捉老鼠的样子也那么优雅。"

"你觉得她的性格怎么样？你们俩合得来吗？"

"当然合得来！"小白说，"你和虎皮猫都是猫中极品，而二丫刚好吸取了你们俩的优点——你的智慧和虎皮猫的善良。"

只要小白和二丫合得来，我就放心了。不过，我的心里还是有些忐忑，因为我还不知道小白的女主人对二丫会是怎样的态度。

"你不用担心。"小白宽慰我，"我的女主人有多爱我，你是知道的。只要我喜欢二丫，女主人就一定也会喜欢二丫。"

今早，二丫突然兴冲冲地对我和虎皮猫说："我有一个梦想！"

"我知道你的梦想是什么。"虎皮猫说，"你想和你爸爸一样，成为一只能听懂人话的猫。"

"这是我以前的梦想。现在，我又有了一个新的梦想。"

"快说给我听听！"我对二丫的这个新梦想很感兴趣。

"我想说人话。"

"啊？说人话？"虎皮猫轻轻地摇了摇头，"二丫，你的这个梦想离现实太远了。"

"爸爸能听懂人话，我为什么不能说人话呢？"

"你爸爸能听懂人话，那是因为他住在人的家里，每天都有人跟他讲人话。你看，我们家里又没有人……"

"没有人也可以学说人话。"二丫说，"小白住的那座别墅里有一只会说人话的鹩哥，我打算就跟他学说人话。"

二丫接下来向我和虎皮猫解释了为什么"说人话"会突然成为她新的梦想。

原来，翠湖公园有两个门：一个东门，一个西门。东门有个卖报的人，他是个大嗓门儿，每天，他的报纸一会儿就卖完了，因为他会吆喝；西门也有个卖报的人，他又聋又哑，每天，他的报纸都卖不完，总是剩下好多。

"每次，看着卖报的聋哑老人背着卖不出去的报

纸，迈着沉重的步子离去的时候，我就想，如果我能帮他吆喝就好了。"二丫对我和虎皮猫说，"是小白家的鹩哥让我突然有了新的梦想。鹩哥不是人，我也不是人。既然鹩哥可以把人话说得那么好，那么我为什么就不能呢？"

我没想到，小小年纪的二丫竟然已经有了悲天悯人的情怀。二丫的话深深地感动了我，同时，也让我感到惭愧。我每天都从翠湖公园的东门和西门进进出出，可是我怎么就没有注意到那个卖报纸的聋哑老人呢？

我决定现在就去翠湖公园的西门看看那个卖报纸的聋哑老人。

从翠湖上的那座拱桥往东是公园的东门，从拱桥往西就是公园的西门。刚走下拱桥，我就听见球球老老鼠那低沉而苍老的声音："笑猫老弟！"

我跟球球老老鼠从来不用寒暄，我直截了当地问他："你知道公园的西门有个卖报的聋哑老人吗？"

球球老老鼠反问我："这跟你有什么关系吗？"

"跟我没关系，"我说，"跟二丫的梦想有关系。"

"让我想想。二丫的梦想是什么呢？哦，哦，我想起来了！你以前给我讲过，二丫的梦想是想和你一样，成为一只能听懂人话的猫。可是……"

"可是什么？"

"可是，那个卖报的聋哑老人又不能说话。他跟二丫的梦想有什么关系呢？"

"现在，二丫有了新的梦想。"我告诉球球老老鼠，"二丫想说人话。"

"这哪里是梦想？这简直就是异想天开！"球球老老鼠十分严肃地说，"作为二丫的父亲，你有责任告诫她，每只小猫都可以有梦想，但是绝对不可以乱想。"

我现在不想跟球球老老鼠辩论，我决定等我赶到公园的西门亲眼见了卖报的聋哑老人是个什么状况后，再和球球老老鼠讨论"二丫的梦想"。

到了公园的西门，我果然看见一个卖报纸的老人安静地坐在一张小板凳上，他的面前，摆着几沓不同的报纸。人们纷纷从他跟前经过，但没有一个人停下脚步来买他的报纸。

"这就是那个卖报的聋哑老人，二丫想帮他。"我问球球老老鼠，"现在，你还敢说二丫的梦想是乱想吗？"

"这老头儿是够倒霉的。"球球老老鼠说，"这都老半天了，他也没卖出一份报纸。"

老人眼巴巴地望着那些从他身边匆匆走过的行人，他的眼睛里满是期盼和无奈。唉，我都不忍心看下去了。我多么希望那些行人能停下脚步来买一份老人的报纸呀！

这时，一个行人步履匆匆地从老人的报摊前走过，他的手机从包里掉到了地上，可他丝毫没有察觉到，依然急匆匆地往前赶路。

卖报的聋哑老人起身捡起了手机。

"啊哈！"球球老老鼠欢呼道，"发财的机会来了，快跑！"

老人果然跑了起来。

我说："他连报纸都不要了？"

"你傻呀？"球球老老鼠做出对一切都门儿清的

样子，"那部手机多值钱哪！这老头儿要卖多少份报纸才能挣到这些钱？"

球球老老鼠的话音刚落，我就看见卖报的聋哑老人和一个人拉拉扯扯地回到了报摊前。再仔细一看，我发现那人正是刚才那个不小心弄丢手机的行人。那人正拿着一沓钱硬往聋哑老人的手里塞，老人一个劲儿地推辞，最后，老人弯腰拿起了一份报纸。我明白老人的意思，老人是想告诉那人，如果他买一份报纸，就算答谢过了。

那人每种报纸都要了一份，然后放下一张钞票，卷起报纸就急匆匆地走了。

老人重新坐在小板凳上，仿佛什么事情都没有发生过。只是，他现在看上去一副心满意足的样子。

"我刚才那么揣测他，真是'以小人之心度君子之腹'。"球球老老鼠愧疚地说，"他是那么容易得到满足！只要能卖出几份报纸，他就心满意足了。"

我说："我一定要帮助二丫实现她的梦想！"

卖报的聋哑老人

第二天　天气：气温比昨天更低，风也比昨天更大。落叶纷飞。

一大早，我和二丫就提早赶到了小白住的那座别墅，因为今天二丫要正式拜师学艺——向鹦哥学习说人话。

"二丫，你怎么知道我喜欢蓝色的小花儿？"小白见二丫嘴里衔着一朵蓝色的野菊花，便以为这花是送给他的。

我连忙说："这不是送给你的，是送给鹦哥的。"

"为什么不送给我，而要送给鹦哥？"

我说："因为二丫要拜他为师，向他学习说人话。"

"啊？"小白吃惊地把嘴张得好大。

还没等小白把嘴闭上，我和二丫就已经来到了鹩哥跟前。

二丫将蓝色的野菊花献给鹩哥，然后给他行了一个大礼。

"这……"鹩哥问我，"什么情况？"

"我家二丫很崇拜你，她想跟你学习说人话。"

"有没有搞错？"鹩哥趾高气扬地说，"在这个世界上，你见过会说人话的猫吗？"

我反问他："在见到我之前，你见过会笑的猫吗？"

"没有。"

我继续问他："在见到我之前，你见过精通动物界的各种语言、能听懂人话但不会说人话的猫吗？"

"没有。"

"所以，万事皆有可能。"我说，"我也看出来了，你不是一般的鸟，你是有雄心壮志的鸟。"

"呵呵，你的眼光不错！"鹩哥矜持地昂起了头。

"我还知道你的雄心壮志是什么。"

鹩哥低头打量着我，神色迷茫地问道："是什么？"

"创造世界奇迹。"我慷慨激昂地对鹩哥说，"现在，你的机会来了！"

鹩哥左顾右盼了一番，问道："机会在哪儿呢？"

"在这里。"我指了指二丫，"只要你教会她说人话，她就会成为世界上第一只会说人话的猫，而这个世界奇迹就是你创造出来的。"

"我的确想创造世界奇迹，但是学说人话实在太难了！"鹩哥说，"这几年，我没日没夜地学说人话，不停地说，不停地说，说得我原来的主人都烦我了。你能猜得出他对我说得最多的话是哪一句吗？"

我不假思索，脱口而出："我不爱跟你讲话。"

鹩哥十分惊讶地问道："你是怎么知道的？"

我说："我听你讲得最多的就是这句话。"

"真的太苦了！"鹩哥痛苦地摇了摇头，"我练得最苦的时候，喉咙就像被火烧一样，都出血了。"

我将鹩哥的话翻译给二丫听。二丫向我表示，她

不怕苦，她不怕她的喉咙练出血。

我向鹩哥保证："我的这个孩子最大的优点就是不怕苦，只要是她认准的事情，她就一定会坚持做到底。"

"可是，我没教过，也不知道怎么教。"

我给鹩哥支了一招："现在，你只要教会二丫说一句话，就可以了。"

"哪句话？"

"这样吧，我带你去个地方。"

想带走鹩哥，我必须先征得小白的同意，因为他们的女主人临走之前，特地交代小白要看好家，并一再嘱咐他照看好鹩哥。

刚才，我和鹩哥一直在用鸟语交流，小白一句也没听懂。现在，我用狗语对小白说，我想把鹩哥带到翠湖公园的东门去。

"不行！"小白坚决反对，"万一鹩哥飞走了，我怎么向女主人交代？"

小白的心情，我能理解。虽然小白并不怎么喜欢鹩哥，但是他知道他的女主人非常喜欢鹩哥。女主人就是小白的全部世界，所以小白决不允许鹩哥逃走。

我赶紧用鸟语跟鹩哥商量："在带你出去之前，你得向我保证，你绝对不会逃走。"

"逃走？怎么可能呢？"鹩哥说，"我喜欢这个地方，我也喜欢这家的女主人。再说，我已经习惯了每天吃半个鸡蛋黄，四分之一个梨。我干吗要逃走？"

"鹩哥说他绝对不会逃走！"我赶紧用狗语对小白说，"他还说，他喜欢这里，喜欢女主人，更舍不得每天的半个鸡蛋黄和四分之一个梨。"

小白还是有些不放心："我得和你们一起去！我得看紧他！"

于是，我们从别墅出发，直奔翠湖公园的东门。

我、二丫和小白在地上跑，鹩哥在我们的头顶飞。鹩哥不停地对我们嚷嚷："你们怎么跑得那么慢哪？"

我们之所以跑得慢，是因为小白几乎不看路，他老仰头盯着他头顶的鹩哥。这样，他一路都跑得跌跌撞撞，当然跑不快了。

"你告诉小白，我是一只讲诚信的鸟，我说不逃跑，

就一定不会逃跑！"

"鹩哥说他是一只讲诚信的鸟，你就相信他吧！"我连忙把鹩哥的话翻译给小白听。

小白还是不低头看路，他依然仰着头，死死盯着他头顶的鹩哥。

"信任别人也是一种美德。小白，你相信我吗？"我问小白。

小白想都没想，脱口而出："相信。"

"这不就结了吗？"我说，"我敢担保：鹩哥绝对不会逃跑！"

小白终于开始好好地看路了，他不再死死地盯着鹩哥。我们奔跑的速度一下子快了好多。

我们还没跑到翠湖公园的东门，便听到从不远处传来一阵吆喝声：

"晚报——商报——西南都市报——"

"晚报——商报——西南都市报——"

"听见没有？"我对鹩哥说，"二丫想学的就是这句话。"

那个一边吆喝、一边卖报的老头儿的身旁正好有一棵树，鹩哥便飞到那棵树上去了。

"晚报——商报——西南都市报——"

"晚报——商报——西南都市报——"

老头儿的吆喝声抑扬顿挫，有板有眼，把路上的许多行人都吸引到他那儿去了，也把我们吸引到他身边去了。

人们纷纷掏出钱来买老头儿的报纸。老头儿忙得不亦乐乎。

"去去去！一边玩儿去！"老头儿嫌我们待在他身边碍事，一脚将小白踢开。

"汪！汪汪！"

小白虽是小型犬，但他的叫声比许多大型犬还要威猛，有几个正要买报的人都被吓跑了。

我怕节外生枝，赶紧带着小白和二丫走开了。

"晚报——商报——西南都市报——"

在老头儿的吆喝声中，他的报纸很快就卖完了。老头儿嘴里哼着小调，悠哉游哉地回家去了。

鹩哥从树上飞了下来。我问他是不是已经学会了

老头儿吆喝的那句话。

"我至少要听上几十遍才学得会。"鹩哥一边说，一边疑惑地望着我，"二丫为什么一定要学这句话？"

我说："我再带你去看看另一个卖报的人，你就明白了。"

鹩哥跟着我来到了翠湖公园的西门。那个卖报的聋哑老人还守在报摊前。今天，他又没卖出去几份报纸，他身旁的几摞报纸还堆得高高的。

起风了，被风卷起的落叶在卖报的聋哑老人身边飞舞着。

卖报的聋哑老人望着从他跟前匆匆走过的行人，眼睛里满是无奈和忧伤。

我问鹩哥："你看明白了吗？"

"看明白了。"鹩哥说，"我现在就回去练习。"

二丫对我说："爸爸，我也去！"

如果二丫能够早一天学会那句话，那个卖报的聋哑老人的幸福也许就会早一天到来。

从树上传来的吆喝声

又一天

天气：太阳就在厚厚的云层后面。正午，太阳终于在两朵云的缝隙间露了一下脸，很快，两朵云就像两扇门一样合上了，又把太阳藏了起来。

因为二丫要跟鹩哥学说人话，所以她住到别墅里去了。不过，我每天下午都能见到二丫。

每天下午，鹩哥都会和二丫一起，从别墅赶到翠湖公园的东门。他们一遍又一遍地听那个会吆喝的卖报人的吆喝声。然后，他们再回到别墅，模仿记忆中的吆喝声。

"台上一分钟，台下十年功。"我不止一次地对球球老老鼠感慨道，"谁都知道，鹩哥会说人话，但是我以前从来不知道鹩哥所说的每一字、每一句，都需要听上千百万次，练上千百万次。"

"只要功夫深，铁杵磨成针。"球球老老鼠肚子里的金玉良言比我的还多，"远的不说，就说说你们家的虎皮猫吧！为什么她能爬上高高的白玉塔，你就爬不上去呢？"

白玉塔是翠湖公园的最高点，几乎所有的猫都想成为塔顶上的猫，但最终只有虎皮猫如愿了。除了我，翠湖公园里其他的猫都恨死了虎皮猫，他们恨虎皮猫的唯一理由，就是虎皮猫爬上了白玉塔，而他们爬不上去。

为什么那些自以为是的猫都爬不上白玉塔，唯独虎皮猫能爬上去呢？这不是因为虎皮猫是天才，也不是因为虎皮猫运气好。那段日子里，每当夜深人静的时候，我们都在舒舒服服地睡大觉，虎皮猫却在白玉塔上不眠不休地练习攀登。星星可以做证，月亮可以做证，球球老老鼠也可以做证。

我们都想成功，我和球球老老鼠也经常讨论关于成功的话题。每次讨论到最后，球球老老鼠都得出了

相同的一个结论：一件事情，我们只有反复做、用心做、做到底，我们才有机会成功。

这听起来很简单，做起来却非常难。就那么一声吆喝——"晚报——商报——西南都市报"，鹩哥和二丫就需要每天反反复复地听，反反复复地练。小白不止一次地向我抱怨，他说他都要崩溃了，鹩哥和二丫没日没夜地练，弄得他的耳朵里全是噪音，脑袋都要炸了。

二丫也跟我说过，鹩哥的嘴都练出血了。

吃过午饭，我早早地赶到了翠湖公园的东门，等待着二丫和鹩哥的到来。

今天，卖报的老头儿没有像往日那样高声吆喝，他不停地咳嗽，买报的人也明显比往日少多了。

鹩哥和二丫来了。鹩哥飞上了树，二丫来到我身边。

二丫问我："那卖报的老头儿，今天怎么不吆喝了？"

"他可能感冒了。"我说，"你看见没有？他不吆喝，买报的人就少多了。"

卖报的老头儿还是想吆喝，在咳了几声后，他又扯开嗓子吆喝起来："晚报——商报——西南都市……喀喀喀……"

平时，卖报的老头儿可以用戏曲中的高腔来高声吆喝，现在却咳得上气不接下气。

突然，我听见了一阵高昂的、字正腔圆的、带着几分戏曲唱腔韵味的吆喝声：

"晚报——商报——西南都市报——"

"晚报——商报——西南都市报——"

卖报的老头儿惊呆了。他张大嘴巴，一只手卡着自己的脖子，好不容易才让自己相信这吆喝声不是出自他的嘴。可是，这独一无二的吆喝声就是他自己的声音哪！

卖报的老头儿东张西望，他在寻找这吆喝声是从哪儿传来的。还没等他找到树上的鹩哥，他的报摊前就已经来了好多买报的人。

于是，卖报的老头儿忙着卖报，又忙得不亦乐乎。

"晚报——商报——西南都市报——"

"晚报——商报——西南都市报——"

买报的人越来越多。他们也很好奇。卖报的老头

儿分明没有张嘴吆喝，这卖报的吆喝声究竟是从哪儿传来的呢？

"大爷，您用上录音机了？"

"没见着录音机呀！"

"大爷用的是隐形录音机。"

卖报的老头儿嘿嘿地干笑着，他心里的疑惑比那些买报的人还多呢。

报纸很快卖完了。趁老头儿低头收拾的时候，鹩哥从树上飞到了我们身边。

我祝贺道："鹩哥，你成功了！"

我盯着鹩哥的嘴仔细地看，果然发现他的嘴角有淡淡的血迹。

"要教会了二丫，才算真正成功。"鹩哥一边说，一边梳理着被风吹乱了的头顶的那撮毛，"现在，我们去公园的西门吧！"

我知道鹩哥要去公园的西门帮那个卖报的聋哑老人。

我们来到西门，发现聋哑老人的报摊前冷冷清清的。

卖报的聋哑老人的眼中依然满是无奈和忧伤，他的

脚边，几摞报纸堆得高高的。

"晚报——商报——西南都市报——"

"晚报——商报——西南都市报——"

鹩哥的吆喝声，高昂，字正腔圆，还带着几分戏曲唱腔的韵味。

来来往往的行人都听见了，他们纷纷拥到卖报的聋哑老人身边，争先恐后地买他的报纸。

卖报的聋哑老人的耳朵听不见，他不知道为什么突然有这么多的人来买他的报纸。

不一会儿，聋哑老人的报纸都卖完了。他一脸茫然，以为自己在做梦呢。

想起了马小跳

又一天　天气：早晨，薄雾像轻柔的白纱，缭绕在树林间和高低错落的建筑物之间。中午，薄雾散去，阳光灿烂。

二丫的嗓子突然哑了，发不出任何声音。这可吓坏了小白，他赶紧将二丫送回了秘密山洞。

虎皮猫心疼万分，急得团团转："怎么会这样？怎么会这样？"

"她练得太猛了！"小白说，"她白天练，晚上练，把嗓子练坏了。"

"二丫会不会从此就成了哑巴？"

"不会的，不会的。"

虽然我嘴上这么安慰虎皮猫，但我的心里还是七上八下的。不过，我不能表现出来，因为我是二丫的父亲，是虎皮猫的丈夫，是这个家里顶天立地的男子汉，如果我乱了方寸，她们肯定就会更加恐惧。

二丫太累了，我让她先睡一会儿，以便稍稍恢复一下体力。

我走出秘密山洞，沿着湖边慢慢地走着。我想独自冷静地想想办法。

"笑猫老弟！"

球球老老鼠肯定有一种特异功能：只要我回到翠湖公园，无论我在公园里的哪个角落，他总能"意外"地出现在我身边。

"笑猫老弟，你有心事？"

球球老老鼠肯定还有一种特异功能：每当我有心事的时候，他总能一眼就看出来。

"二丫的嗓子哑了。"

"是练哑的吧？"球球老老鼠似乎早就预料到了会出现这种情况，"现在好些了吗？"

"还是一点声音都发不出来。"

"这是为了实现她的梦想而必须付出的代价。"球球老老鼠侃侃而谈,"要实现梦想,就必须有所付出。没有付出就想实现梦想,没门儿!"

我想打断球球老老鼠的高谈阔论:"我知道……"

"我长话短说,就一句话……让我想想……"

"就一句话,还要想?"我催促道,"快说吧!我洗耳恭听!"

球球老老鼠终于把那句话想起来了:"就一句话:种瓜得瓜,种豆得豆!"

"我一定把你的这句话转告给二丫。"

"我还有最后一句话。"

"你确定这是最后一句吗?好吧,我最后一次洗耳恭听!"

"你就这样告诉二丫:如果想学会说人话,那么把嗓子练哑就是不可避免的。有多少付出,就有多少收获。有……"

"打住,打住!你这都几句话了?"我万分焦急

地说，"我现在满脑子都是二丫的病情。唉，也不知道怎么才能让她尽快地好起来！"

球球老老鼠说，他知道有一种专治嗓子的药叫"喉宝"，药效应该不错。

"你怎么知道药效不错？"我问球球老老鼠，"你吃过吗？"

"我虽然没吃过，但是单凭垃圾箱里频频出现的那些'喉宝'的包装盒，我就可以判断出，吃这种药的人很多。这样看来，这种药的药效肯定很好。于是，我就

储藏了一些。你等着，我这就去拿一些来！"

"别去！别去！"我拦住球球老老鼠，"人家扔到垃圾箱里的药大多是过期的。我还是另想办法吧！"

我告别了球球老老鼠，向秘密山洞走去。

"笑猫！笑猫！"

这好像是鹩哥的声音。抬头一看，我果然看见鹩哥正向我飞来。

"我想去看看二丫！"鹩哥急匆匆地对我说。

我问鹩哥："那个聋哑老人的报纸卖完了？"

"卖完了。"鹩哥说，"因为我想早点儿去看二丫，所以我不停地吆喝，不停地吆喝。于是，那些行人争先恐后地来买聋哑老人的报纸。那几摞报纸自然很快就卖完了。"

我又问："那个聋哑老人发现你了吗？"

"他都忙晕了，哪有工夫顾得上别的事？"

是呀！聋哑老人又听不见，也许他又以为自己在做梦呢。

当我带着鹩哥走进秘密山洞时，二丫已经醒来了。

"怎么样？"我问虎皮猫，"二丫还是不能发出声音吗？"

虎皮猫难过地摇了摇头。

"你别着急！"鹩哥急忙安慰虎皮猫，"我曾经也像二丫这样失声过。"

我把鹩哥的话翻译给虎皮猫听了。

"你快问他，当初他是怎么痊愈的！"虎皮猫仿佛一下子找到了救星。

"那时，我也是拼命地学说人话，说得嗓子眼儿都冒烟了，出血了，最后嗓子终于哑了。后来，主人把我带到一个专门给动物治病的医院，没过几天，我的嗓子就好了。"

"亲爱的！"虎皮猫两眼闪闪发光，"我们的二丫有救了！"

我明白虎皮猫的意思，她也想把二丫送到"专门给动物治病的医院"去医治。

"亲爱的，你还记得吗？"虎皮猫回忆道，"那年，我中了暗箭，生命垂危，多亏你把我送到动物医院，我才被救活了。"

　　我当然记得。只不过虎皮猫当时在昏迷中，她不知道是马小跳把她送到宠物医院并找到了在那里当医生的裴帆哥哥的。

　　天色已经渐渐暗了下来。明天正好是周末，马小跳不上学。我决定明天一早就到马小跳家去。

　　整个晚上，我都在想马小跳。和马小跳在一起的日子，有那么多的故事，有那么多的快乐。这些故事和快乐，温暖着我的心。今夜，我的心里装满了浓浓的思念。

在宠物医院里

第二天　天气：难得的冬日阳光金灿灿地
耀眼。阳光下，城市里那些冰冷
的建筑仿佛变得温暖起来，那些
干枯的树枝也变得柔和起来。

　　昨天整个晚上，我都在想念马小跳。今天一早，我
就直奔马小跳的家。

　　我有些日子没去马小跳的家了。那些熟悉的街道、
熟悉的楼房，还有马小跳家楼下的那家小花店，都让我
倍感亲切。

　　穿制服的保安一直盯着我。我回头朝他笑了笑，他
也朝我笑了笑，然后他目送着我爬上了马小跳家的窗台。

　　因为是冬天，所以马小跳家所有的窗户都关得严严实实的，窗帘也被拉上了。

我跳到马小跳房间的窗台上，抬起一只爪子，轻轻地敲着玻璃窗。

我刚敲了几下，窗帘便被撩开了，窗帘后露出了马小跳睡眼惺忪的脸。

"啊？笑猫，你找我呀？"

马小跳打开窗户，把我放了进去。

马小跳将我抱到他的书桌上，跟我脸对着脸："笑猫，你这么早就来找我，肯定是出事了，出大事了。是不是？"

当然是大事！可惜，我有口却说不出人话来。如果我能说人话，那该多好哇！现在，我才真正明白，二丫学说人话是多么必要，二丫的付出又是多么值得！

我从书桌上跳下来，跑出了马小跳的房间。我想，如果我把马小跳带到二丫的身边，他就会明白这是怎么回事了。

马小跳刚跟着我跑进秘密山洞，我就把二丫推到

了他面前。

马小跳目不转睛地看着二丫，二丫也目不转睛地看着马小跳。虽然二丫的嗓子哑了，但如果只看外表，二丫的样子与健康的猫没什么两样。

马小跳左看右看，前看后看，始终没有看出二丫有什么不对劲的地方。

我和虎皮猫急得一个劲儿地叫。

马小跳也很着急，他一个劲儿地问我："笑猫，到底出了什么事？"

此时此刻，我真后悔我在杜真子家时只学会了听人话，没有学会说人话。

我只好对二丫说："你快做出'拼命叫'的样子！"

二丫于是张大嘴，对着马小跳拼命地叫。这时，马小跳终于发现，二丫的嗓子哑了，发不出一点声音。

"我明白了！"

马小跳抱起二丫，冲出了秘密山洞。

我跟着马小跳，冲出了翠湖公园，上了天桥，再拐进一条小巷，穿过马路，走进了街头拐角处的一家宠物医院。

"裴帆哥哥! 裴帆哥哥!"

马小跳抱着二丫找遍了每一间诊室。

这时, 从楼道尽头的洗手间里走出一个穿白大褂的英俊男人。我一眼就认出来了, 他就是马小跳的裴帆哥哥!

"马小跳, 给你说过多少回了, 在医院里不能高声喧哗……"

"我快急死了!" 马小跳将他怀里的二丫递给裴帆哥哥, "这只小猫的嗓子哑了。"

裴帆哥哥从马小跳的手里接过二丫, 快步走进了他的诊室。

裴帆哥哥是一位经验丰富的宠物医生, 被他治愈的宠物不计其数。经过一番仔细检查, 裴帆哥哥很快就填好了诊断书, 他对马小跳说: "小猫需要输液, 你把小猫抱到输液室去!"

马小跳抱着二丫来到了输液室。我发现那里面有一只波斯猫和两条狗——一条哈士奇和一条雪纳瑞,

正躺在病床上输液。

在二丫输液的时候，马小跳打电话叫来了他的三个好朋友——唐飞、张达和毛超。我最爱的那个人——杜真子，也赶来了。马小跳似乎很不高兴，他斜着眼睛看着杜真子："你怎么来了？"

"我怎么不能来？"杜真子也斜着眼睛看着马小跳，"是你跟笑猫一家亲，还是我跟笑猫一家亲？"

唐飞抢答道："当然是杜真子跟笑猫一家亲。"

"唐飞，一定是你！"马小跳指着唐飞，"一定是你给杜真子通风报信的！"

"是我又怎么样？"唐飞理直气壮地问道，"马小跳，好男不跟女斗，可你怎么老跟杜真子斗？"

"你……"

马小跳扑上去和唐飞扭成一团。张达一手抓住唐飞，一手抓住马小跳，把他们俩分开。张达在他们四个人里面，个头儿最高，力气最大，打架也应该是最厉害的，但他从来不跟人打架，他总说他是练跆拳道的，一出手就会打死人。所以，张达永远是劝架的那

个人。

张达将唐飞和马小跳拉开后，毛超挤到了两人的中间："自家兄弟，有话好好说！有话好好说……"

毛超是四个人里面的和事佬，张达劝架用的是手，毛超劝架用的是嘴。

"好端端的小猫，怎么嗓子就哑了呢？"毛超迅速转换了话题，"我们还是来说说这个问题吧！"

"感冒了呗。"唐飞说，"前几天我妈感冒了，嗓子也哑了。"

毛超说："猫爱吃鱼。是不是鱼刺卡在喉咙里了？"

马小跳说："也许是误吃了一种草，而这种草是有毒的。你说呢，张达？"

张达说话结巴，他结结巴巴地说："我……不知道……笑猫知……知道……"

我当然知道。我非常想告诉他们，二丫是为了实现她的梦想，是为了学说人话而练哑了嗓子的。可是，我说不出来呀！

我抱歉地对马小跳笑了笑。马小跳说："笑猫对我笑了。我肯定猜对了！"

　　我抱歉地对唐飞笑了笑。唐飞说："是我猜对了！"

　　我抱歉地对毛超笑了笑。毛超说："是我猜对了！"

　　我抱歉地对张达笑了笑。张达也对我抱歉地笑了笑："对不起……我没……猜……"

　　"你们都猜错了。"杜真子说，"我跟笑猫在一起的时间最长，我最懂笑猫的笑。"

　　马小跳对杜真子说："你来猜！"

　　"我不猜，我也猜不出来。"杜真子说，"你们都把猫想得太简单了。"

　　二丫终于输完液了。马小跳他们几个轮流抱着二丫，把她送回了秘密山洞。

梦想成真

第三天

天气：北风吹。寒风夹着细小的冰粒，吹得脸生疼。

在睡梦中，我突然听见了一阵卖报的吆喝声。

"晚报——商报——西南都市报——"

"晚报——商报——西南都市报——"

我推了推身边的虎皮猫："亲爱的，你有没有听见什么声音？"

"我听见了一个很奇怪的声音。"

虎皮猫听不懂人话，所以她把我听见的卖报的吆喝声称作"奇怪的声音"。

我和虎皮猫再也睡不着了。我们并排躺着，竖起耳朵，把眼睛睁得大大的。

"晚报——商报——西南都市报——"

如果说刚才的那阵吆喝声似乎是隐隐约约地从梦中传来的，那么现在的这声吆喝我却听得格外真切。千真万确，这就是卖报的吆喝声，而且还带着戏曲唱腔的韵味，跟翠湖公园东门那个卖报老头儿的吆喝声一模一样。难道鹩哥到秘密山洞里来了？

"是二丫！"虎皮猫激动不已，"亲爱的，二丫的嗓子好了！那个奇怪的声音是二丫发出来的！"

虎皮猫睡在我和二丫的中间，二丫紧挨着她，所以她比我听得更加真切。

"啊，二丫会说人话了！"我比虎皮猫更激动，"亲爱的，你听见的那个奇怪的声音就是二丫说人话的声音。"

这真是喜上加喜！二丫不仅能出声了，而且还会说人话了。虽然这只是一声吆喝，但这毕竟也是人话呀！

虎皮猫抱着二丫，不停地亲吻着她的脸："二丫！二丫！我的小宝贝儿……"

"妈妈，我刚才做梦了，在梦中，我会说人话了……"二丫一边说，一边打了一个哈欠，伸了一个懒腰，她终于醒了过来。

"二丫，你真的会说人话了！"虎皮猫激动地说，"你的梦想实现了！"

"真不敢相信……我怎么觉得……我还是在梦中……"

"这是真的！你妈妈听见了，我也听见了！"我对二丫说，"你再学一遍卖报的吆喝声！"

二丫亮开嗓门儿吆喝起来："晚报——商报——西南都市报——"

"听见没有，二丫？这是你说的！这是你亲口说的！"

"我会说人话了！我的梦想……"二丫终于相信自己梦想成真了。

二丫说到"梦想"这两个字时，不禁哭了。

晚报——商报——西南都市报——
晚报——商报——西南都市报——

　　虎皮猫也哭了："为了实现你的梦想，你把嗓子都练哑了……"

　　我也想哭，但我不想让虎皮猫和二丫看见我哭。于是，我跑出了秘密山洞。

　　天还没亮。天空中有几颗冰冷的寒星倒映在如镜的翠湖水面上。

　　我以为，现在没有谁能看见我，我的眼泪可以尽情地流，我甚至可以哭出声来。

没想到，我刚哭了几声，球球老老鼠就已经来到了我的身边。

"笑猫老弟，你有什么伤心事？你给我说嘛！你知不知道，哭是最伤身体的？我能活到今天这把年纪，就是因为我从来不哭。"

"那是因为你从来没有遇到过让你高兴得哭的事情。'喜极而泣'的意思，你懂不懂？"

"让我猜猜，是什么事情让你喜极而泣呢？我记得，前两天，你还因为二丫的嗓子哑了而愁容满面……"

"二丫的嗓子好了！"我对球球老老鼠说，"我去找了马小跳。马小跳把二丫送到宠物医院，请一个叫裴帆哥哥的医生把二丫的嗓子治好了。"

"这当然是一件喜事！不过，你也不至于高兴得天不亮就出来哭吧？"

"让我喜极而泣的，是二丫已经梦想成真了！"

"二丫已经梦想成真了？"球球老老鼠也激动起来，"你是说，二丫会说人话了？"

"是的，是的！"我说，"她做梦时说的梦话，就是人话。我听得真真切切、清清楚楚！"

"这真是喜上加喜！换了我，我也会喜极而泣。"球球老老鼠兴奋无比，"笑猫老弟，好久没遇上这么大的喜事了，我们必须庆祝一下！我还藏着小半瓶红酒，那酒可是有年份的法国红酒，至少有一百年……"

"我知道那肯定是好酒。你快去拿来！"

尽管我知道，球球老老鼠所有的东西——包括他刚才说的那小半瓶红酒，都是从垃圾箱里捡来的，但我太高兴了，就想喝酒，实在顾不上那酒是从哪儿来的了。

不一会儿，球球老老鼠推着一张铺着小方格子布的"小餐桌"来了。"小餐桌"上放着小半瓶红酒和两个杯沿儿有豁口的高脚酒杯。

我知道，那小方格子布下面的"小餐桌"，实际上是球球老老鼠珍藏多年的一块滑板。这个世界上，只有热爱生活并讲究情调的球球老老鼠才能想出这样的妙招。

我和球球老老鼠频频举杯，庆祝二丫终于梦想成真。

　　你一杯，我一杯，我们俩不停地喝着。等到酒喝光时，天也亮了。

　　我像踩在一朵云上，四条腿变得轻飘飘的。突然，我身子一软，终于醉倒在回秘密山洞的路上。

　　等我醒过来时，已经快到中午了。

　　我头疼欲裂。

　　使劲地甩了甩脑袋后，我猛然想起了二丫，于是拔腿就往翠湖公园的西门跑去。

到了西门，我只看见了"曲终人散"的一幕：许多人的手中都握着一份或者两三份报纸，他们正从报摊旁慢慢离去。此时，卖报的聋哑老人正蹲在地上清点钞票。显然，他的报纸都卖完了。

是谁帮他把报纸卖完的？是鹩哥，还是二丫？

"爸爸！"

二丫突然出现在我面前。

"二丫，是你？"我瞬间就明白了一切。

"是的！爸爸，我成功了！"二丫指着聋哑老人背后的一棵大树说，"刚才，我就藏在那棵树上。我一吆喝，就来了好多人，他们还排起了长队！报纸很快就卖完了。"

我心里充满了骄傲和自豪，还有一丝愧疚。本来，我应该及时赶到这里，亲眼目睹二丫到底是怎样实现她的梦想的，也应该及时分享她成功的喜悦。可是，我却喝醉了……

"二丫，对不起！刚才，我……"

"爸爸，我闻到你身上的酒味儿了。你喝醉了吗？"
二丫凑到我身旁，吸了吸鼻子，笑着对我说，"就算你
喝醉了，那你也是为我而醉的！"

会说人话的猫

第四天

天气：今天，亮晶晶的雪花儿纷纷扬扬地从天而降。雪越下越大，断断续续地下了一整天。

下雪啦！

亮晶晶的、六角形的雪花儿，纷纷扬扬，从天而降。这是今年冬天的第一场雪。

二丫最喜欢下雪天。她喜欢在雪地上奔跑，喜欢和飞舞的雪花儿一起跳舞，还喜欢用白雪堆一个只有她自己才看得懂的东西。

可是今天，二丫似乎对今年的这第一场雪没什么兴趣，因为有更有意思的事情吸引着她。

一大早，她就往翠湖公园的西门跑去。到了那里，她发现卖报的聋哑老人还没到呢。

等了一会儿，还不见聋哑老人的踪影，二丫不禁担心起来："他会不会因为下雪就不来了？"

我说那聋哑老人可不是一个怕苦怕累的人。他在翠湖公园的西门卖报也有好几年了，一年三百六十五天，他总是风雨无阻。

二丫还是担心："天这么冷，他会不会生病了？"

正在我不知怎么回答二丫的时候，那个卖报的聋哑老人蹬着一辆三轮车来了，车上装满了一捆一捆的报纸。

"看见没有？"我对二丫说，"以前，聋哑老人一天也卖不了几沓报纸。今天，他却拉了满满一车来。看来，这全指望你了！"

二丫信心满满地说："我一定帮他卖完！"

二丫说完就跑出翠湖公园的西门，爬到一棵大树上。

卖报的聋哑老人刚把三轮车停好，二丫的吆喝声便响了起来：

"晚报——商报——西南都市报——"

二丫的吆喝声，高亢嘹亮，字正腔圆，带着戏曲唱腔的韵味，几乎跟东门卖报老头儿的吆喝声一模一样。

"晚报——商报——西南都市报——"

"晚报——商报——西南都市报——"

二丫的吆喝声响彻四方。

风雪中，那些缩着脖子走路的行人，听见二丫的吆喝声后，都把脖子伸了出来，纷纷朝聋哑老人的报摊走去。

人们终于发现，卖报的老人是个聋哑人。

"哪儿来的吆喝声？"人们四处张望着，议论纷纷。

卖报的聋哑老人听不见二丫的吆喝声，也听不见人们的议论声，他满脸疑惑，一手收钱，一手给报，忙得不亦乐乎。

"晚报——商报——西南都市报——"

二丫的吆喝声不绝于耳，满满一车的报纸已经卖出去了一大半。

人们开始围着聋哑老人的报摊，上下左右地寻找

起来。他们想寻找出卖报的吆喝声来自何方。

"在那儿！在那儿呢！"

终于，有人发现了在树上的二丫。

人们呼啦啦一下都拥到大树下，抬头望着二丫。

"不会吧？那是一只猫！"

"猫说人话？不可思议！不可思议！"

"如果不是亲眼所见，就是打死我，我也不信！"

二丫虽然听不懂人话，但她知道她已经被人们发现了，也知道人们正在议论她。不过，现在她一门心思地想帮聋哑老人卖报纸。她见三轮车上还有没卖完的报纸，便又旁若无人地高声吆喝起来：

"晚报——商报——西南都市报——"

"晚报——商报——西南都市报——"

三轮车上的报纸很快就卖完了，大树下的人越聚越多。

那个卖报的聋哑老人也在人群里，只是，他脸上的表情跟其他人的不一样，他的脸上写满了感激，眼睛里还有隐隐的泪光。

看报纸已经卖完，二丫便不再吆喝。可是，树下的那些人还想听她吆喝。于是，他们开始在树下起哄："小猫，再吆喝一个！"

有人举起一袋牛肉干："小猫，吆喝一个！我给你吃牛肉干！"

二丫依然不再吆喝。我知道，这不是因为她听不懂人话，而是因为她看见三轮车上的报纸已经卖完了。

二丫惊恐地看着树下的那些人，她想从树上溜下来，但又不敢。有生以来，她还是第一次见到这么多人呢。

人如果想找乐子，或者说想满足自己的好奇心，那就什么招儿都想得出来。这时，有人将自己买的报纸放到了聋哑老人的三轮车上。紧接着，好多人都纷纷把自己手中的报纸放到了三轮车上。

树上的二丫见聋哑老人的三轮车上还有报纸，就又高声吆喝起来：

"晚报——商报——西南都市报——"

"晚报——商报——西南都市报——"

"哈哈哈！哈哈哈……"人群中爆发出开心的笑声。

二丫更加惊恐了，她不知道人们为什么要笑。

这么逗下去，二丫什么时候才能到树下来呀？我在一旁暗暗着急。

我要去把二丫从树上救下来。

我向人群冲去，一下子将人们的注意力都吸引到我身上来了。

人们看着我，我也看着他们。我对他们笑了笑。

"奇了怪了！这猫还会笑！"

"这世界上，真有会笑的猫哇！"

"如果不是亲眼所见，就是打死我，我也不信！"

为了牢牢地吸引住人们的注意力，我决定使出浑身解数。接下来，我朝那些人挤出了我最经典的笑——皮笑肉不笑。

"这是什么笑？"

"这是一种不可言说、只可意会的笑。"

人们死死地盯着我，完全忘记了树上的二丫。

这时，二丫已经趁机从树上溜了下来。

于是，我也决定赶紧撤退。

我慢慢收起了脸上的笑。我不笑的时候，跟别的猫没什么两样。人们很快对我失去了兴趣，转身又去寻找树上的二丫。

　　二丫早已消失得无影无踪。

人有好人、坏人之分

第五天 | 天气：雪停了，风还在吹，积雪白得耀眼。在这银装素裹的冬日里，二十四节气中的一个重要的节气——冬至，隆重登场。

　　冬至这一天，翠湖公园里有很好的雪景。虽然寒风刺骨，但南方城市里难得一见的雪景，岂能辜负？所以，我还是走出秘密山洞来赏雪景了。

　　沿着平时散步的路线，我边走边看。那些熟悉的景物，如今都被白雪包裹起来了。如果有足够的想象力，那么眼睛所看见的与心中所想象的，将会是完全不同的东西。

　　眼前的那片草坡——以前我和虎皮猫谈恋爱的地

方，现在像一个天然的滑雪场。这时，一个雪球正从坡顶滚了下来。

"笑猫老弟！"

啊，原来这个"雪球"是球球老老鼠！

"我就知道你肯定会出来赏雪景。你知道我为什么对自己的判断这么自信吗？"

我说不知道。

"因为你是一只有情调的猫！你知道'有情调'和'没情调'的区别是什么吗？"

我说不知道。

"我来告诉你吧！"球球老老鼠最喜欢听我说"不知道"，他眉飞色舞地说，"在这么冷的天，你如果在一个暖和的地方无聊地待着，那就叫'没情调'；你如果在冰天雪地里欣赏雪景，那就叫'有情调'。"

"那么你呢？"

"我比你高一个层次。"球球老老鼠自命不凡地说，"我不仅赏雪，我还'滚雪'。这说明我不仅有情调，而且我还热爱生活。"

"凭什么我就比你低一个层次？"我不服气地看着球球老老鼠，"你'滚雪'，我也可以'滚雪'！"

我爬上雪坡，像球球老老鼠那样滚了下来。

我发现，"滚雪"比滑雪更好玩儿！

我一口气滚了三趟。就在我向坡顶爬去，准备滚第四趟的时候，球球老老鼠叫住了我："笑猫老弟，二丫怎么样了？我差点儿忘了问你。"

"相当成功！"我说，"你能想象到吗？因为有了二丫的吆喝声，那个聋哑老人把满满一车的报纸都卖出去了。"

"恭喜你呀，笑猫老弟！"球球老老鼠真诚地说道，"二丫的成功也是你和虎皮猫的成功。你们教子有方啊！"

我说："我和虎皮猫对小猫们的爱是真爱，而且我们还懂得怎么爱。"

"怎么爱？"

"就是要尽力帮助他们过上一种能够实现他们自身价值的美好生活。"

我担心我的这番话有点绕，球球老老鼠可能听不明白，于是我问道："你明白什么是'自身价值'吗？"

"笑猫老弟，以前，总是由我来问'你懂吗'，今天却反过来了。好吧！我就满足你一下。你给我讲讲什么是'自身价值'吧！"

"我们猫的'自身价值'跟你们老鼠的'自身价值'完全不一样。"我正儿八经地讲解道，"在衡量'自身价值'的时候，你们老鼠看重的是索取，我们猫看重的则是奉献。比如，三宝现在正为盲人服务，比如二丫现在……"

说到二丫，我猛然想起二丫这会儿应该正在翠湖公园的西门。

于是，我对球球老老鼠说："我们现在就去翠湖公园的西门。到了那里，你就会明白什么是二丫的美好生活、什么是奉献、什么是二丫的'自身价值'。"

我和球球老老鼠跑到了翠湖公园的西门，只见那里已经围了好多人，而且大多数人还带着照相机。

卖报的聋哑老人还没到，二丫也不知躲在什么地方。

听说昨天二丫帮那个聋哑老人卖了满满一三轮车的报纸后，球球老老鼠便对我说，聋哑老人今天也许会拉来一卡车的报纸让二丫帮他卖。

"不会吧？"我说，"我看那个聋哑老人不是一个贪心的人。"

"人不可貌相。你总是把人想得太好。"

"你总是把人想得太坏。"我说，"如果你心中全是鲜花，那么你看到的就都是鲜花；如果你心中全是牛粪，那么你看到的就全是牛粪。"

球球老老鼠正准备跟我打赌时，二丫悄然出现在我的身边。

"爸爸，你看！好多人哪！"二丫似乎有点胆怯。

"他们都是来看你的。"我对二丫说，"你心里别想那么多，你就想着帮聋哑老人卖报纸就好了。"

卖报的聋哑老人终于来了，他蹬着装满报纸的三轮车来了。他果然不是一个贪心的人。我真后悔刚才没跟球球老老鼠打赌。

卖报的聋哑老人刚把三轮车停好，二丫便走过去了。

"快看，快看！会说人话的猫！"

人群里爆发出一阵欢呼声。果然，那些人都是冲着二丫来的。

让我感到惊讶的是，二丫没有像昨天那样爬上大树，她径直走向聋哑老人，跳上三轮车，高声吆喝起来：

"晚报——商报——西南都市报——"

咔嚓！咔嚓！咔嚓！

数不清的照相机对准二丫，闪光灯闪个不停，闪得二丫的眼睛都睁不开，但二丫还是不停地吆喝：

"晚报——商报——西南都市报——"

在二丫的吆喝声中，三轮车上的报纸很快就卖完了。

就在这时，一个长着一对招风耳的男人嬉皮笑脸地走了过来，他捧着一袋小鱼干，想喂给二丫吃。

二丫不吃，她警觉地看着那个男人。

招风耳又嬉皮笑脸地弯下腰去，他想抱住二丫，我还听见他说："宝贝儿，我们回家去！"

坏了！遇到骗子了！

"二丫，快跑！"我大声叫着，冲了过去。

可是，招风耳已经抓住二丫的脖子，把她拎了起来。

我也不知是从哪里来的力气，我猛地扑向招风耳，在他的手背上狠狠地抓了一下。

"哎哟哟——"

招风耳惨叫着，拎着二丫的手不由自主地松开了。二丫跳到地上，飞快地朝翠湖公园的大门跑去。

"死猫！"

招风耳又转身来抓我，卖报的聋哑老人挺身而出，他一把拉住了招风耳。我于是趁机逃走了。

我一口气跑进了翠湖公园，回头一看，只见招风耳和卖报的聋哑老人依然扭作一团。

因为心里惦记着二丫，所以我急匆匆地跑回了秘密山洞。直到我看见二丫安然无恙地和虎皮猫待在一起时，我那一直悬着的心才终于放了下来。

"你今天做得真好！"我有些欣慰，又有些担忧地看着二丫，"你以后一定要记住：任何人拿给你的东西，你都不能吃。"

"任何人？"二丫问我，"难道马小跳和杜真子送

来的东西也不能吃吗？"

二丫还真把我问住了。我们一家子吃的鱼饼干，一直都是由马小跳和他的几个铁哥们儿送来的；而我最喜欢吃的樱桃番茄，则一直是由杜真子送来的。

我只得这么对二丫说："人有好人和坏人之分。马小跳和杜真子都是好人，好人送的东西当然可以吃。"

"爸爸，刚才那个人为什么要我跟他走？"

"因为你不是一般的猫，你是会说人话的猫。现在，你有了被人利用的价值。"我语重心长地对二丫说，"二丫呀，人是很复杂的。爸爸不能总跟着你，所以你一定要学会保护自己。"

圣诞节的美丽传说

有一天

天气：从冬至开始，就进入了数九寒天。在这冰天雪地里，我嘴里哈出的每一口气，都是白的。路上那些来不及被清理掉的积雪变成了冰，走在上面就像走在溜冰场上一样。

如今，二丫已经不是以前的二丫了，她是一只著名的会说人话的猫。在这座城市里，二丫帮助聋哑老人卖报的故事早已家喻户晓。惦记二丫的人也越来越多。这其中，有好人，也有坏人。因为二丫毕竟还是未成年的小猫，所以我得时刻保护她。

吃过早饭，我便陪着二丫往翠湖公园的西门走去。

今天的翠湖公园似乎不同于往日。虽然积雪还没有融化，但被大雪覆盖的公园里竟有了鲜亮的色彩。

宝塔形的杉树上，挂满了银色的铃铛和亮闪闪的、苹果大小的圆球。那些圆球有红的、紫的，还有金色的。

原来，明天就是圣诞节！人们把公园里的那些杉树都装点成了一棵棵巨大的圣诞树。

"爸爸，圣诞树上为什么要挂这么多东西？"

"这和一个美丽的传说有关。"我对二丫说，"在很久以前，有一位善良的农民，他在风雪交加的圣诞夜，遇到一个饥寒交迫的孩子。他让这个孩子吃了一顿美味的圣诞大餐，还给这个孩子穿上了一身暖和的衣服。这个孩子临走时，折下杉树枝插在农民家的门口，树枝立即变成一棵树，这棵树的枝条上挂满了礼物。这时，善良的农民终于明白：那个孩子原来是上帝派来的使者。"

二丫凝望着美丽的圣诞树，若有所思地说："啊，树上挂着的那一个个小饰物原来象征着一颗颗感恩的心！"

这时，一位身穿大红袍、头戴大红的尖顶帽、背着一个大口袋的白胡子老人朝我和二丫走来。

"他要干吗？"二丫一个劲儿地往我身后躲。

"别怕！他是扮成圣诞老人的人！"

二丫问："世界上真有圣诞老人吗？"

"有的。"我说，"圣诞老人身材高大，他的脸红得像玫瑰，他的鼻头红得像樱桃，他还长着垂到胸前的白胡子。每个圣诞夜，他都会乘坐由驯鹿拉着的雪橇，背着装满礼物的大口袋，从北极来到世界各地，给乖孩子送礼物。"

扮成圣诞老人的那个人已经走到我和二丫的跟前了。他蹲下来，摸摸我的背，又摸摸二丫的脸，然后从大口袋里掏出一只小袜子，挂在二丫的脖子上。

"奇怪！"二丫看着扮成圣诞老人的那个人渐渐远去的背影，问道，"他为什么要送我一只袜子？"

"这是装圣诞礼物的圣诞袜。"

二丫更好奇了："圣诞礼物为什么要装在袜子里呢？"

"这又得从另一个传说谈起。"我对二丫说，"从前，有一个心地善良的贵族，他的妻子因病去世了，留下三个女儿跟他相依为命。这个贵族非常喜欢搞发明，但是他所做的每个实验都失败了。他的财产渐渐耗尽，他不得不带着三个女儿搬到农舍去生活。从此，他的三个女儿每天都得为了生存而辛勤劳作。几年过去了，女儿们都到了出嫁的年龄，可是她们的爸爸却没有钱给她们置办嫁妆。圣诞老人知道她们的情况后，就在圣诞夜悄悄地来到了她们居住的农舍。圣诞老人看见女儿们将洗好的袜子挂在壁炉边烘干，就从口袋里掏出金币来。金币被圣诞老人从烟囱里一枚一枚地投下去，刚好落进三个女儿的三只袜子里。袜子里的金币足够女儿们置办嫁妆了。从此，她们都过上了幸福美满的生活。后来，世界各地的孩子都知道了这个传说。于是，孩子们在每年的圣诞夜都将自己的袜子挂在壁炉边，许下美好的愿望，然后等待圣诞老人在深夜把礼物从烟囱里投进袜子里。"

"好美丽的传说呀！可惜，我们住的秘密山洞没有烟囱……"二丫似乎有点遗憾。

我说："你可以将你的愿望装进袜子里。这样，圣诞老人也许就会走到你的梦里去……"

说话间，我们已经来到了翠湖公园的西门。今天是周末，所以这里的人比往日多了许多。人们团团围住装满报纸的三轮车，可他们中没有一个买报纸的。他们都翘首以待，等待二丫的到来。

卖报的聋哑老人戴着一顶红色的圣诞帽。远远地看见我和二丫走出了公园的西门，老人立刻喜笑颜开地迎了上来，将二丫抱到他的三轮车上。

二丫亮开嗓门儿，高声吆喝起来：

"晚报——商报——西南都市报——"

围观的那些人开始排队买报，卖报的聋哑老人又忙得不可开交。

在排队的人群中，我看见了地包天的女主人。她穿着一件红缎袄，显得喜气洋洋。我有些日子没见到地包天了，心里还真有点想她。

"笑猫哥哥！"

叫我"笑猫哥哥"的只有地包天。我回头一看，果然看见头戴圣诞帽的地包天正喜气洋洋地向我跑来。地包天也穿着一件红缎袄，她总是和她的女主人穿同样款式的衣服。

"笑猫哥哥，我好想你呀！"

地包天的嘴里有好大一股甜蒜味儿。

"对不起，笑猫哥哥！"地包天抱歉地说，"我知道你讨厌我嘴里的蒜味儿。如果我知道今天会遇见你，我是坚决不会吃蒜的。"

地包天盯着二丫看了半天，然后扭过头来问我："为什么那么多人都在那里看二丫？二丫怎么了？"

"二丫会说人话了！"我告诉地包天，"她在帮一个不能说话的聋哑老人卖报纸。"

"我真羡慕二丫！"地包天满怀憧憬地说，"如果我也能说人话就好了！那样，我就可以跟我的女主人聊天了，我要说好多好多逗她开心的话……"

就在这时，我发现了人群中的杜真子，还有马小跳和他那几个铁哥们儿。他们正目瞪口呆地盯着二丫看。

等三轮车上的报纸一卖完，杜真子就冲到了二丫跟前。二丫扑进了杜真子的怀抱。

　　杜真子抱着二丫跑进翠湖公园，马小跳他们紧紧跟在后面。毛超兴奋地说："原来，报纸上、电视上报道的会说人话的猫，就是二丫！"

　　唐飞说："这是一个相当大的奇迹！"

　　张达说："世界……奇……迹……"

　　"我就不明白！"马小跳说，"除了我们几个，二丫没接触过其他人。究竟是谁教她说人话的呢？"

　　"难道是那个卖报的？"

　　"废话！"杜真子对毛超说，"你没见那个卖报的老人是聋哑人吗？"

　　来到秘密山洞后，杜真子指挥几个男生将他们带来的一棵小小的圣诞树放进山洞里，然后在树上挂满了金色和红色的小袋子。

　　啊，原来杜真子和马小跳他们专程给我们送圣诞礼物来啦！

　　我们一家子都很想知道他们到底送来了什么样的圣诞礼物。等杜真子和马小跳他们走了以后，我们就围着圣诞树跳跃着，挨个儿闻着那些挂在圣诞树上的小袋子。

原来，那些小袋子里面装的都是我们平时爱吃的鱼饼干、小鱼干儿和五香豆干儿，当然，还有我的最爱——樱桃番茄。

天色渐渐暗了下来，圣诞夜降临了。

二丫将圣诞袜放在枕边，她问虎皮猫："妈妈，我是一只乖小猫吗？"

"当然！"虎皮猫将二丫搂在怀里，"你是世界上最乖最乖的小猫。"

"那么，圣诞老人肯定会送我礼物的，对吗？"

二丫说完便枕着那只装着她美好愿望的圣诞袜安然入睡了。

有一种礼物叫"机会"

第二天 天气：这是冬日里难得的晴天，漫步在温暖的阳光下，我似乎能闻到空气中那股积雪融化的味道。夜晚的天空也是晴朗的，月亮虽然还没有圆，但特别亮。

吃早饭的时候，二丫对我和虎皮猫说："圣诞老人到我的梦里来了！"

虎皮猫问："圣诞老人送给你圣诞礼物了吗？"

"没有。"二丫说，"在梦中，圣诞老人带我去了一个地方。"

"什么地方？"我漫不经心地问道，"是不是圣诞老人和你一起乘坐着驯鹿拉的雪橇，去了他的故乡——北极村，你看见了神秘的北极光……"

"没有驯鹿拉的雪橇，也没有北极光。"二丫说，"圣诞老人带着我走出翠湖公园，穿过几条街道，来到一家医院，进了一间病房……"

"医院？病房？"我不禁紧张起来，"圣诞老人为什么要把你带到那种地方？"

二丫说，在昨晚的梦里，圣诞老人把她带进了一间病房，然后圣诞老人就消失了。她看见那间病房里只有一张病床，病床上躺着一个美丽的女人。

这是一个什么梦啊？

"算了，别想这个梦了！"我对二丫说，"你今天还要去帮聋哑老人卖报呢。"

吃过早饭，二丫匆匆赶到翠湖公园的西门帮聋哑老人卖报。像往常一样，我躲在一个隐秘的地方，远远地看着二丫，以防不测。

"笑猫老弟！"

最近这段日子里，每天一到这个时候，球球老老鼠就会到翠湖公园的西门旁来找我。

我问球球老老鼠："你会解梦吗？"

　　"我已经活到了这把年纪，我做的梦比你做的事还多！解梦有什么难的？"

　　"你到底会不会呀？"

　　"能解个八九不离十吧。也就是说，有十个梦，我能解对八九个。"

　　"二丫昨晚做了一个很奇怪的梦。你来解一下吧！"

　　我把二丫昨晚在梦中的经历讲给球球老老鼠听了。

　　"这个梦是有点怪。"球球老老鼠煞有介事地摇晃着脑袋，"难道二丫跟病床上躺着的那个人有什么关系？"

　　我说："除了杜真子、卖报的聋哑老人、裴帆哥哥、小白的女主人，还有马小跳和他的那几个好朋友之外，二丫不认识其他人哪！"

　　"但是，二丫会说人话呀！"球球老老鼠说，"圣诞老人是什么人哪？他无所不知，无所不晓……"

　　"你是说……"我好像有点开窍了，"圣诞老人住在北极村的耳朵山。在那里，他能听见世界各地的声音，肯定也听到了二丫的声音，他知道二丫在帮助一个卖报的聋哑老人……"

我停下来，不再往下说。

"解呀！接着往下解！"球球老老鼠比我还着急，"马上就要解开了。"

"解不下去了。"我说，"每年的圣诞夜，圣诞老人都会送给每个乖孩子一件圣诞礼物。既然他知道二丫是一只很乖的小猫，那么他为什么没有送圣诞礼物给二丫，而是在二丫的梦中把她带到病房里？"

"笑猫老弟，我们是不是可以换一种思维方式？"球球老老鼠耐心地启发我，"礼物可以是各种各样的，比如，有一种礼物叫'机会'……"

我茅塞顿开："你是说，圣诞老人送给二丫的圣诞礼物，是一个机会？"

"看，这个梦终于解开了！——啊，二丫过来了！我得赶紧撤！"

眨眼间，球球老老鼠便消失得无影无踪。

我抬头向远处看了看，发现三轮车上的报纸已经全部卖完了，卖报的聋哑老人正准备蹬着空车离去。

"爸爸，我们回家吧！"二丫已经兴冲冲地来到

了我身边。

在回家的路上，二丫连蹦带跳，快乐无比。

我问二丫："为什么这么高兴？"

二丫说："每天，帮聋哑老人卖完报纸的时候，就是我一天中最高兴的时候。"

看来，二丫已经懂得了快乐的真谛：给别人带去快乐，自己才能获得真正的快乐。

"爸爸，"二丫突然问我，"我是不是还不够乖？"

"你妈妈不是说了吗？你是世界上最乖的小猫。"

"可是，为什么圣诞老人没送圣诞礼物给我？"

"怎么没送？"我一边轻轻地抚摸着二丫的头，一边对她说，"圣诞老人已经送给你礼物了呀！"

"在哪儿呢？"二丫失望地看了看自己脖子上挂着的那只圣诞袜，"这只袜子里空空的，什么礼物都没有。"

"礼物有各种各样的，有一种礼物叫机会。"我对二丫说，"圣诞老人送你的礼物，就是一个机会。"

"机会？什么机会？"

"你不是说在梦中，圣诞老人把你带到一间病房里了吗？说不定，那个机会就藏在那间病房里。"

二丫被我说得激动起来："爸爸，我们现在就到那家医院去看看那究竟是个什么样的机会，好吗？"

"你还记得去那家医院的路吗？"

二丫双眼微闭，努力回忆着在梦中见到的情景。

"圣诞老人带着我走出了翠湖公园，我们在黑夜里穿过了几条街道……爸爸，我记住的都是夜里的情景。我想，如果在夜里，我能回忆起更多的东西。"

于是，我和二丫约定：今天夜里，她带着我重走一回她昨晚在梦里走过的路，我们一定要找到那家医院，找到那间病房。

睡美人

第三天 | 天气：又起风了。气温降到了零下，广播里说，今晚气温还要降几度。这真是一个特别寒冷的冬天。

昨天晚上，我们等了很久，二丫才渐渐有了蒙眬的睡意。二丫半睁半闭着眼睛，似乎又走进了圣诞夜的梦境里。二丫带着我走出了翠湖公园。

我静静地跟在二丫的后面，生怕发出一点声音，生怕惊扰了处在半睡半醒状态中的二丫。

二丫带着我，穿过几条街道，来到了一家医院的门口。

这家医院我曾经来过，这是这座城市里最大的一家医院。我记得，我那时是乘公共汽车来的，我来帮助一个差点儿被死神带走的女孩，她有一个很好听的名字——雨樱。

二丫带着我去的那幢楼是医院的住院部。当时，那个叫雨樱的女孩也住在那幢楼里。

我跟着二丫来到了住院部的三楼。楼道里虽然亮着灯，但我还是感到了一丝恐惧，因为医院毕竟是死神经常出没的地方。

二丫在307号病房的门前停下了脚步。此时，她仿佛突然从梦中醒了过来，两只眼睛睁得大大的。

我问二丫："你确定是这间吗？"

"我确定。"二丫很肯定地说，"这间病房里面只有一张病床，病床上躺着一个美丽的女人。"

我轻轻地推开了307号病房的门。果然，里面只有一张病床，病床上躺着一个美丽的女人。

我和二丫跳上床头柜。这样，我们可以近距离地看这个躺在病床上、盖着白被子的美丽女人。

她真美！简直就是一个睡美人！

她那乌黑的、像弯曲的海藻一样的长发披散在雪

白的枕头上。她的脸像白玉一样光洁，嘴唇像红玫瑰一样娇艳，她的睫毛弯弯的，又黑又长。

我和二丫盯着她看了好久，她竟然一动也不动。

"她是不是死了？"二丫问道。

"肯定没死。"我说，"死人不会躺在这里，应该躺在太平间里。"

"在梦中，圣诞老人为什么要把我带到这里来呢？"

我对二丫说："也许，她就是需要你帮助的人。"

"我？"二丫惊愕无比，"我不是医生，我怎么能帮助她？"

这时，楼道里突然传来了急促的脚步声。

"我们快走吧！"

我带着二丫匆匆跑出了医院。我们决定等到天亮以后，再来一探究竟。

天色渐渐亮了起来。吃过早饭后，我让二丫先去翠湖公园的西门帮聋哑老人卖报。

像往常一样，我躲在一个隐秘的地方远远地看着

二丫，以防不测。此时，我特别希望球球老老鼠能早些来到我身边，我很想和他聊聊昨天夜里的事。

"嗨，笑猫老弟！"

没过多久，球球老老鼠就像从地底冒出来一样，突然出现在我身边。我迫不及待地把昨天夜里的事告诉了球球老老鼠。

"她有没有呼吸？有没有心跳？"球球老老鼠对病床上的睡美人很感兴趣。

我说："不知道。"

"如果她有呼吸，有心跳，"球球老老鼠做出一副见多识广的样子，故作高深地说，"那么我基本上可以确定：她就是一个植物人。"

"植物人？"

"不知道吧？闻所未闻吧？"球球老老鼠得意扬扬地说，"还是让我来告诉你吧！有生命，却没有意识、知觉和活动能力的人，就是植物人。"

我继续向球球老老鼠请教："我们如果想维持生命，就得吃东西。植物人不能吃东西，靠什么维持生命呢？"

"你在睡美人的病床旁边，有没有发现插着管子的仪器？"

我认真回想了一下，说："有。"

"医生就是通过这些管子，将能维持生命的营养液输送到植物人的身体里的。"

球球老老鼠的这番话，让我长了不少见识。

这时，二丫已经帮聋哑老人卖完了报纸，她急匆匆地跑到我身边。于是，我们一起飞奔到那家医院。

白天，医院门诊部的人很多，住院部就相对安静多了。我和二丫顺利地溜进了307号病房。在这间病房里，我们居然没遇见其他人。

病床上的睡美人，还是像昨天夜里我们看见的那样——双眼紧闭，一动也不动。

"爸爸，你听！"二丫警觉地说，"有人来了。"

我竖起耳朵仔细地听了听。果然，楼道里传来了奔跑的脚步声。我和二丫赶紧跳上窗台，躲到了厚厚的窗帘后面。

门被轻轻地推开，一个背着书包的小女孩进来了。

"妈妈，我来啦！"小女孩扑到睡美人身上，她那红扑扑的小脸蛋儿紧贴着睡美人的脸，"依依又来看您啦！"

我想，"依依"应该就是这个小女孩的名字。

"妈妈，我来给您梳头。"依依从床头柜的抽屉里拿出一把梳子，轻轻地梳理她妈妈披散在枕头上的长发，"妈妈，以前都是您给我梳头，您给我梳马尾辫、麻花辫……您看，今天我梳的是公主辫。这是童老师给我梳的。妈妈，我好看吗？"

睡美人一动不动，脸上没有任何表情。

依依给她的妈妈梳完头后，又从抽屉里拿出一管口红，仔细地在她妈妈的嘴唇上涂着。很快，睡美人的脸就变得更加美艳动人。

依依双手捧着睡美人的脸："妈妈，依依想您！好想好想您！您快醒来吧……爸爸已经走了，您千万不要扔下我……"

豆大的泪珠，从依依又大又圆的眼睛里滚了出来。

好可怜哪！依依已经失去了爸爸，现在，如果她再失去妈妈……唉，太惨了！

"妈妈，我不哭了。我给您唱您最喜欢的《鲁冰花》。"

依依擦干眼泪，在她妈妈的耳边深情地唱了起来：

啊……啊……

夜夜想起妈妈的话

闪闪的泪光鲁冰花

天上的星星不说话

地上的娃娃想妈妈

天上的眼睛眨呀眨

妈妈的心呀鲁冰花

家乡的茶园开满花

妈妈的心肝在天涯

夜夜想起妈妈的话

闪闪的泪光鲁冰花

啊……啊……

夜夜想起妈妈的话

闪闪的泪光鲁冰花

......

依依在她妈妈的耳边，把这首凄美的歌唱了一遍又一遍。

睡美人静静地躺在那里，双眼紧闭，脸上没有任何表情。她能听见女儿深情的歌声吗？

一首凄美的《鲁冰花》

第四天 天气：大风过后，天空格外明亮，空气清纯得没有一点杂质。夜晚，星光闪烁。夜空中那最明亮的两颗星星，就像妈妈温柔的眼睛，在天上深情地凝望着我。

　　昨天去医院，我和二丫见到了那个睡美人的女儿依依，我们不仅听到依依对睡美人讲的那番话，而且还听到依依一遍又一遍深情地唱那首凄美的《鲁冰花》。如果说昨天在依依的歌声里，我渐渐明白了圣诞老人带给二丫的究竟是一个怎样的机会，那么今天我和二丫在医院里的所见所闻，则让我完全明白了圣诞老人的良苦用心。

　　今天下午，依依又来到了睡美人的病房里。和昨

天下午一样，我和二丫又跳到了这间病房的窗台上，躲到了厚厚的窗帘后面。

"妈妈，我来啦！"

依依大口大口地喘着气，脸蛋儿红扑扑的，额头上还有细小的汗珠。在这么寒冷的冬天，依依竟然还流汗。看来，依依应该是从很远的地方匆匆赶来的。

"妈妈，一放学，我就往这里赶。我想早点儿看到您！您想我了吗？妈妈，您睁眼看看依依吧！"依依趴在睡美人的身边，小脸紧贴着睡美人的脸。

睡美人依然没有一点反应。

依依又在睡美人的耳边，唱起了那首凄美的《鲁冰花》：

啊……啊……

夜夜想起妈妈的话

闪闪的泪光鲁冰花

……

像昨天那样，依依一遍又一遍地唱着这首歌。依依的歌声让我和二丫泪流满面。

天快黑了。这时，病房里出现了两个穿白色衣裙的护士。我从窗帘缝里偷偷地打量着她们。我告诉二丫，她们中，一个是护士阿姨，另一个是护士姐姐。

护士阿姨走到依依身边，温柔地对她说："依依，不早了。你该回家了！"

依依仍然在睡美人的耳边唱着那首歌：

······

天上的星星不说话

地上的娃娃想妈妈

天上的眼睛眨呀眨

妈妈的心呀鲁冰花

······

依依的歌声让护士阿姨和护士姐姐都不停地抹眼泪。

"依依，回家吧！你明天还要上学呢。"护士阿姨一边说，一边将依依从她妈妈的身边拉开。

依依问护士阿姨："都三个多月了，我妈妈怎么还没醒过来呢？"

护士阿姨说："你妈妈睡得很沉很沉，但是，总有一天，你的歌声会唤醒你的妈妈。"

"好吧！我明天再来。"

依依恋恋不舍地离开了病房。

护士阿姨和护士姐姐留在病房里，精心地护理着依依的妈妈。

那个护士姐姐好像是新来的，她一边记录着医疗仪器上的各种数据，一边问道："护士长，她是怎么成为植物人的？"

"车祸。"护士阿姨说，"当时，一家三口都在车上。她的丈夫在送往医院的路上就去世了。出事的时候，她紧紧地抱着孩子，结果，孩子毫发未损，她却……"

"唉，这就是母爱。"护士姐姐轻轻地放下手中的病历，"她救下的孩子，就是刚才那个叫依依的小女孩吗？"

护士阿姨说："是的。依依很乖，很懂事。每天下午放学后，她都会到病房里来跟她妈妈说会儿话，反反复复地唱那首《鲁冰花》。她说，那首歌是她妈妈教她唱的。"

"刚才听她唱那首歌时，我的心都要碎了。"护士

姐姐的眼圈又红了。

护士阿姨说："这是针对植物人的一种治疗方法，叫'亲情疗法'。但愿依依的歌声能唤醒她的妈妈。"

"这种'亲情疗法'的治疗效果好吗？"

"虽然已经坚持三个多月了，但现在还没有看到什么效果。"护士阿姨说，"这个病人已经深度昏迷了很久，而依依要上学，所以依依每天跟她妈妈待在一起的时间也就两三个小时。时间还是太短了。"

等两个护士离开病房后，我和二丫也悄悄离开了病房，匆匆跑出了医院。

夜幕已经降临。寒夜里，街道上冷冷清清。

"爸爸，为什么依依总是反反复复地唱同一首歌？她……"

"以后，依依天天都会唱那首歌。"我告诉二丫，"依依是想用那首歌唤醒她的妈妈。"

"依依的妈妈为什么长睡不醒呢？"

"因为一场车祸让她变成了植物人。"

我详细地给二丫讲解了什么是植物人，并且告诉二丫，护士阿姨刚才说过，"亲情疗法"是救治植物人的一种方法。

"那首《鲁冰花》，是依依的妈妈教依依唱的。让熟悉的旋律不停地在依依妈妈的耳边响起，也许就可以唤醒依依的妈妈。"我深深地叹了一口气，"可惜的是，因为依依要上学，所以她每天和她妈妈待在一起的时间只有两三个小时。直到现在，'亲情疗法'还没有取得很好的效果。"

"如果依依不在病房里，但她的声音依然留在病房里……"二丫是个冰雪聪明的孩子，她似乎突然明白了什么，"爸爸，圣诞老人是不是因为知道我能模仿人的声音，所以才把我带到依依妈妈的病房里？圣诞老人想让我来帮助依依？"

"是的。二丫，这就是圣诞老人送给你的特别的礼物—— 一个帮助依依的机会。"我对二丫说，"你一定不愿意依依成为一个没妈的孩子，对吗？"

"没妈的孩子太可怜了！"二丫对依依充满了同情，"我一定要帮依依把她的妈妈唤醒！"

鹩哥的天赋

第七天 | 天气：这是进入数九寒天之后难得的好天气。气温突然回升了好几度，仿佛寒冷的冬季就快结束了。其实，这不过是一种错觉，因为一年之中最冷的三九天还没到来呢。

从今天开始，二丫决定模仿依依的声音，学唱那首《鲁冰花》。因为依依下午放学后才去医院，所以二丫还是准备先去翠湖公园的西门帮聋哑老人卖报纸，卖完报纸后，她再赶到医院去。

趁二丫去翠湖公园西门的工夫，我一口气跑到了城郊小白住的那座别墅的前面。因为是鹩哥教二丫学会了卖报的吆喝声的，所以我今天想让鹩哥也去医院听听依依唱《鲁冰花》。我知道，鹩哥肯定能给二丫很多的帮助。

那座别墅里热闹极了，有男人的说话声，有女人的说话声，有各种鸟的叫声，还有电话铃声……

我接连叫了好几声"小白"，小白才从花园里跑了出来。

"你家女主人回来啦？"

小白说："没有。"

"那么，你家里现在有客人吗？"

小白说："没有。现在，家里只有鹩哥。"

咳！我怎么忘了这些不同的声音都是从鹩哥的喉咙里发出来的？他有这能耐！

"真受不了他！"小白向我抱怨道，"一天到晚都这么闹腾，他也不嫌累！我的头都被他闹晕了。"

小白说完便带着我进了客厅。鹩哥一看见我，就马上从鸟架上飞下来，落到我跟前，唠叨个不停："二丫为什么没来？她不是要跟我学说人话吗？我才教会她一声卖报的吆喝，她就满足了？她就不学了？"

看来，鹩哥对二丫很不满。

我于是连忙解释："二丫没来，是因为她现在正

帮聋哑老人卖报呢。虽然二丫只跟你学会了一句人话，但这句话很有用，她每天都用你教她的这句话，帮聋哑老人卖出去好多好多份报纸。"

"你说得也是。为什么要学习？就是因为要用。学了不用，等于白学。"鹩哥还算明事理，他不再生气了，"笑猫，你也想跟我学说人话吗？"

"我听人话还行，说人话就不行了。这是需要天赋的。鹩哥，不是我当面夸你，在动物界，要论学说人话，你是最有天赋的。"

鹩哥对我也是满口溢美之词："笑猫，不是我当面夸你，在动物界，要论听人话，你是最有天赋的。"

我问鹩哥："你认为在学说人话方面，二丫到底有几分天赋？"

"如果说，在学说人话方面，我有十分天赋的话，那么二丫就有七八分天赋。对你们猫而言，这绝对算极高的天赋了。迄今为止，除了二丫，我还没见过其他会说人话的猫。"

"鹩哥，我今天来，是想请你帮助二丫学唱一首歌。"

"咳！"鹩哥惊讶地说，"二丫刚学会说一句人话，就想学唱歌？前段时间，我教她练习'吃葡萄不吐葡萄皮儿'，我告诉她，至少要练上一千遍，才能把人话说利索。她练了吗？"

我说："她练了，但没练上一千遍。"

"还没练上一千遍？那么她现在根本掌握不了说人话的基本技巧！"鹩哥十分生气地说，"话都说不利索，就想学唱歌？也太急了吧？"

"不急不行啊！"我说，"因为有一个病人，正等着用歌声去唤醒。"

鹩哥歪着脑袋，疑惑地看着我。显然，他没听明白。

我只好进一步解释："二丫之所以想尽快学会那首歌，是因为她想帮助一个小女孩唤醒她的妈妈。"

鹩哥把头歪到了另一边，疑惑地看着我。显然，他还是没听明白。

我长话短说，给鹩哥讲了病房里的那个植物人和依依的故事，讲了什么叫"亲情疗法"，最后，还讲到了依依反复唱的那首凄美的《鲁冰花》。

《鲁冰花》是依依的妈妈最喜欢的一首歌。如果能让那首歌不停地在她耳边响起，那么她就有可能恢复意识，从沉睡中苏醒过来。"

这下，鹩哥终于听明白了。

"我跟你走吧！"鹩哥说完就朝屋外飞去。我匆匆跑到前面，再次为鹩哥带路。

我和鹩哥赶到翠湖公园的西门时，二丫已经帮聋哑老人卖完了报纸。

于是，我和二丫向医院跑去，鹩哥紧跟在我们后面飞。

到了医院，在住院部的那幢大楼前，我对鹩哥说："千万不能被人发现！你见机行事吧！"

鹩哥心领神会地点了点头："放心！我知道该怎么做。"

我和二丫到那幢大楼里来过好几次，已经很有经验了。我们知道如果楼道上有人，我们就得躲起来。因为依依妈妈的病房在三楼，所以和前几次一样，我们躲藏了好几次，才神不知鬼不觉地溜进了307号病房。

病房的中央就放着一张病床，病床上躺着依依的妈妈。我相信鹩哥已经看见她了。

"这就是那个有生命却没有意识、知觉和活动能力的植物人。"我对鹩哥说，"那个小女孩快来了，我们得躲起来。"

我和二丫又跳上窗台，躲到了厚厚的窗帘后面。鹩哥却说躲在那么厚的窗帘后面，会影响他的听力。他见病房的墙上挂着一个空调，便飞了上去。

过了一会儿，依依推门进来了。

"妈妈，我来啦！"

还是像昨天一样，依依一边给她妈妈梳头，一边跟她妈妈说话，她还给她妈妈涂了涂口红。然后，她把一面小镜子举到她妈妈的眼前："妈妈，您快睁眼看看！您多美呀！您知道吗？每次您到学校开家长会的时候，都是我最骄傲、最自豪的时候。因为我会听见很多人说：'看！那个最漂亮的家长就是依依的妈妈！'又快到期末了，我多么希望您能去开家长会……妈妈，您答应我，答应我吧……"

依依放下小镜子，又开始在她妈妈的耳边唱那首不

知唱了多少遍的《鲁冰花》:

　　啊……啊……

　　夜夜想起妈妈的话

　　闪闪的泪光鲁冰花

　　……

　　一直唱到天黑，依依才在护士阿姨和护士姐姐的一再催促下，恋恋不舍地离开了病房。

　　等护士阿姨和护士姐姐离开病房后，我和二丫、鹩哥才悄悄地溜到了楼道上。

"怎么样？"

一到没人的地方，我就迫不及待地问鹩哥。

鹩哥说："现在，我的耳朵里、脑子里全是那首歌的旋律和歌词。我得赶紧回去唱。再过一会儿，我恐怕就全忘了。"

二丫对鹩哥说："我跟你去！"

鹩哥飞入夜空，他那黑色的身子随即融入了苍茫的夜色中。二丫也越跑越远，很快便消失在夜色里。

在新年的钟声里

第八天 天气：明天就是新年了。今天的每一朵雪花儿，都是送给新年的美好祝愿，祝愿新年里的每一个愿望都能实现。

又下雪了。晶莹的雪花儿在空中轻盈地舞蹈着，优雅地徐徐落下。

这一年就快过完了。今天是这一年的最后一天。漫天飞舞的雪花儿纷纷扬扬地赶来辞旧迎新。

二丫昨晚跟鹩哥去了别墅。一看鹩哥昨天临别前那兴奋的样子，我就知道他们肯定会练一个通宵。我真担心二丫的嗓子又会像上次那样练哑了。如果嗓子变哑了，她今天怎么帮聋哑老人卖报呢？

雪中的翠湖公园，到处张灯结彩，树上都挂着红灯笼。我一早就走出了秘密山洞，一边欣赏着雪景，一边朝翠湖公园的西门走去。

突然，似乎有歌声从远处传来。我加快脚步，循声找去。渐渐地，歌声变得越来越清晰。再仔细一听，我发现那是我熟悉的旋律。是那首凄美的《鲁冰花》!

是谁在唱?

这有点像依依的声音，但我知道，肯定不是依依在唱。

难道是鹩哥? 或者是二丫?

我灵敏的耳朵带着我走到了一棵大树下。抬头一看，我发现鹩哥和二丫果然就在树上。

我爬上树，问道:"刚才是谁在唱? "

"鹩哥唱的。"二丫说，"我只能唱几句。"

我让二丫唱给我听。

二丫唱得断断续续的，我几乎听不出她唱的是《鲁冰花》。不过，猫毕竟不是鹩哥，二丫能开口唱人类的歌，已经是奇迹了。

我鼓励了二丫一番，然后请鹩哥唱给我听。

鹩哥简直就是个天才！他才到医院去了一次，居然就能把《鲁冰花》完整地唱下来。

鹩哥一唱完，就急切地问道："我唱得怎么样？"

我说："好是好，只是不太像依依唱的。"

"是声音不像吗？"鹩哥低头琢磨着，"那个小女孩的声音是尖细的童声。也许，我的声音还不够尖，不够细？我再来试一遍！"

啊……啊……

夜夜想起妈妈的话

闪闪的泪光鲁冰花

……

这一次，鹩哥果然发出了尖细的童声。可是，在我听来，鹩哥的歌声跟依依的歌声还是不一样。

鹩哥急了："笑猫，你得说清楚！到底怎么个不一样？"

"这个……我也说不上来。"我连忙安慰鹩哥，"你在病房里才待了一会儿，怎么可能很快就跟依依唱得一模一样呢？"

"是呀！世界上哪儿有这么容易的事情？"鹩哥点点头，自己安慰自己，"那卖报的吆喝声，我和二丫还练了好多天呢。二丫把嗓子都练哑了……"

下午，等二丫帮聋哑老人卖完报纸后，鹩哥跟着我和二丫，又一次向医院赶去。

明天是元旦节，一些住院的病人陆续出院，准备回家过节。住院部一下子变得冷冷清清。

我们顺利地溜进了307号病房。我和二丫跳上窗台，鹩哥又飞到了空调上。我们静静地等待着依依的到来。

不一会儿，病房的门被轻轻地推开了。可是，进来的不是依依，而是护士姐姐。她从墙上摘下旧挂历，换上新挂历。

护士姐姐刚出去，依依就进来了。她捧着一大束青翠的花，来到了她妈妈的病床前。

"妈妈，这是您最喜欢的香水百合。天太冷了，花都没开……"依依一边说，一边把这束香水百合放

到了她妈妈的枕边。

原来，依依的妈妈也喜欢香水百合。我在马小跳家里住过一段时间，马小跳的妈妈特别喜欢香水百合，她是一个高雅浪漫的女人。依依的妈妈，会不会也是一个高雅浪漫的女人呢？

依依将那束香水百合插进花瓶里，给她妈妈仔细地梳了梳头，抹了抹口红，然后趴在她妈妈的耳边，又一次深情地唱起了那首《鲁冰花》:

> 啊……啊……
>
> 夜夜想起妈妈的话
>
> 闪闪的泪光鲁冰花
>
> 天上的星星不说话
>
> 地上的娃娃想妈妈
>
> 天上的眼睛眨呀眨
>
> 妈妈的心呀鲁冰花
>
> ……

依依唱了一遍又一遍。每一遍，她都是用心唱的。

我终于明白鹩哥唱的《鲁冰花》和依依唱的《鲁冰

花》为什么不一样了。鹦哥唱《鲁冰花》时，歌声是从喉咙里发出来的；依依唱《鲁冰花》时，歌声是从心里流淌出来的。

天快黑了。护士姐姐又来催依依回家了。

"我今晚不回家。"依依说，"我要和妈妈一起听新年的钟声。"

护士姐姐摸了摸依依的头，说："钟声响起的时候，你要许愿哪！"

护士姐姐走了，依依接着唱。

夜色越来越浓。

突然，伴着砰的一声巨响，窗外亮如白昼。躲在窗帘后的我和二丫扭头向窗外看去，只见一朵绚烂的烟花在夜空中绽放了！

这座城市有在新年的前夜燃放烟花的习俗。

厚厚的窗帘将窗户遮得严严实实。用心唱歌的依依根本看不见这绚烂的烟花。这多可惜呀！

我冒着被发现的危险，偷偷把窗帘拉开了。

"啊，放烟花啦！"依依小心地将她妈妈的脸转

向窗口，"妈妈，您看！金色的麦穗，怒放的菊花，红彤彤的心，飞翔的蝴蝶，绚丽的彩虹……啊，妈妈，您快看！满天都是亮晶晶的星星……"

终于，绚烂的夜空渐渐平静下来了。大家似乎都在静候着新年的钟声。

当——

悠长的钟声划破夜空，在我们耳边回荡。

"妈妈，新年的钟声！您听见了吗？"

在新年的钟声里，依依手捧那束青翠的香水百合，站在她妈妈的病床前，许下了她的新年愿望：

我希望这些花骨朵，在冬天里也能开出美丽的花。

我希望花开的时候，就是妈妈醒来的时候。

用心唱的歌

天气：今天是二十四节气中的小寒。一年中最寒冷的日子终于到来了。

今天晚上，二丫就要到医院去给依依的妈妈唱《鲁冰花》了。

从上午到下午，二丫都十分紧张。她不停地问我："爸爸，你觉得我的歌声和依依的像吗？"

我说："你比鹩哥唱得更像。"

"怎么可能？"二丫不相信，"鹩哥是我的老师。我能学会唱《鲁冰花》，都是他的功劳。"

二丫说得没错。在这件事情上，鹩哥的确功不可没。

在鹩哥的帮助下，二丫渐渐地能将《鲁冰花》这首歌完整地唱下来，鹩哥还教二丫咬准字音，并且教二丫怎么去模仿依依的童声。要说唱歌的技巧，鹩哥实在是无可挑剔。

"我不是说你比鹩哥唱得好，而是说你比他唱得更有感情。也就是说，鹩哥是在用技巧唱这首歌，而你是在用心唱这首歌。"

二丫问："你为什么这么说？"

我说："听鹩哥唱《鲁冰花》，我会赞美他的歌喉，会赞美他唱歌的技巧；听你唱《鲁冰花》，虽然我能听出你没有鹩哥那么高超的技巧，但是我会感动，会流泪。"

"我明白了！"二丫这个有灵气的孩子点了点头，说，"依依给她的妈妈唱《鲁冰花》时，是用心唱的。我唱《鲁冰花》时，也是用心唱的，所以你觉得我的歌声更像依依的。"

二丫之所以能用心地唱《鲁冰花》，并且能用歌声打动我，是因为二丫第一次在病房里听依依唱歌时，

就深深地被依依感动了。那天，二丫躲在窗帘后面，流着眼泪听依依不停地唱这首歌。后来，二丫曾经告诉我，一听到依依给睡美人唱《鲁冰花》，二丫就会想，如果躺在病床上的是自己的妈妈——虎皮猫，那么自己也许就会成为没有妈妈的孩子，所以一听到依依唱这首歌，二丫就会流下伤心的眼泪。

我曾经躲在窗帘后面，仔细观察过鹩哥是怎样听依依唱歌的。鹩哥藏在空调后面，把脖子伸得长长的，他歪着头，不停地转动着脑袋，一会儿用左边的耳朵听，一会儿用右边的耳朵听……

鹩哥听得很认真，很仔细，但是他从来没有被依依的歌声感动过。他只是一门心思地想模仿，想把依依的歌声模仿得惟妙惟肖。

天一黑下来，我就陪着二丫朝医院赶去。我们藏在住院部外面的一棵树上，直到看见依依从大楼里面走出来，我们才悄悄溜到了树下。

就在我和二丫轻轻推开 307 号病房的房门时，我突然看见护士阿姨和护士姐姐出现在楼道上。

"快进去躲起来！"

我和二丫赶紧跑进病房，跳上窗台，躲到了厚厚的窗帘后面。

护士阿姨和护士姐姐进来了。看情形，她们似乎已经发现了我们。

护士阿姨："你看清楚了？是一只猫，还是两只猫？"

护士姐姐："好像是两只猫。"

护士阿姨："都跑进来了？"

护士姐姐："好像都跑进来了。"

于是，护士阿姨和护士姐姐开始在病房里找起来。

哗——哗——

窗帘被护士姐姐拉开了，我和二丫刚好被裹到了窗帘里面。我屏住呼吸，心都快跳到嗓子眼儿了。

过了一会儿，窗帘又被拉上了。

护士姐姐："难道这是我的幻觉？"

护士阿姨："我就说嘛，猫跑到这病房里来干什么！这里一点吃的东西都没有。"

看来，护士阿姨并不知道，除了食物，我们猫还有许多别的追求。

给依依的妈妈做完护理后，护士阿姨和护士姐姐又开始清理病房。

"过了这么多天，这些花骨朵还是一点变化都没有。"护士阿姨一边说，一边给花瓶里的香水百合换水。

护士阿姨哪里知道，在新年的钟声里，依依捧着这束香水百合许下了新年的愿望，依依希望这些花开放的时候就是她的妈妈醒来的时候。

"天太冷，这些花肯定开不了。"护士姐姐说，"明天，我给依依说说，让她换一种花吧！"

"千万别换！"我在心里说，"这可是依依的妈妈最喜欢的花呀！"

护士阿姨和护士姐姐终于离开了病房。

我和二丫从窗帘后面钻了出来。我让二丫跳上病床，我则守在门边。

二丫爬到依依妈妈的耳边，开口唱道：

啊……啊……

夜夜想起妈妈的话

闪闪的泪光鲁冰花

……

我闭上眼睛，觉得萦绕在耳边的似乎是侬侬深情的歌声。

二丫越唱越有感觉，她眼里含着泪花，唱到动情之处，她哽咽得几乎唱不下去了。二丫的歌声让我的心都快碎了。

突然，我听见门外有动静。

"二丫，快藏起来！"我说完便急忙跳上了窗台。

二丫完全沉浸在自己的歌声里，她根本没听见外面的动静，也没看见我已经藏到窗帘后面去了。

病房里的灯忽地全亮了，二丫的歌声也戛然而止。

护士阿姨："侬侬，你在哪里？我们听见你唱歌了。"

护士姐姐："我听得真真的。肯定是侬侬在唱《鲁冰花》！"

护士阿姨："我也听得真真的。这的确是侬侬的歌声。"

护士姐姐："难道我们俩都出现了幻觉？"

有一会儿，护士阿姨和护士姐姐都没有再说话。我估计，她们正仔细地打量着这病房里的每一个角落。

"二丫，你在哪儿？"我在心里焦急地呼唤着，我紧张得心都快从喉咙里跳出来了。

"找到了！"护士阿姨叫了起来。

我眼前顿时一黑，心想：完了，二丫被发现了！

"我找到原因了！"护士阿姨说，"依依天天都在这间病房里唱《鲁冰花》。时间长了，这病房里就装满了依依的歌声。就像水会从杯子里溢出来一样，依依的歌声也会从病房里往外流淌，所以我们经过这里时，就会以为依依仍然在病房里唱《鲁冰花》。"

我终于松了一口气。还好，二丫没有被她们发现。我也暗暗佩服护士阿姨的想象力。

护士阿姨和护士姐姐放心地离开了病房。我估计她们今天不会再来了。

"二丫，你在哪儿？"

二丫从依依妈妈的被窝里钻了出来："快憋死我

了！"

　　很快，二丫又为依依的妈妈唱起了那首《鲁冰花》。

　　天快亮的时候，我和二丫不得不离开了病房。

　　走出病房前，我扭头看了一眼躺在病床上的依依的妈妈，惊讶地发现，她的脸上现出了淡淡的红晕，嘴角有一丝浅浅的笑意。她宛如童话里的一位睡美人。

　　我又看了一眼床头柜上的那束香水百合，发现那些花骨朵居然都裂开了一个个绿豆大的小嘴儿。

鹩哥的暴脾气

又一天 天气：四周好像雾茫茫的，一切都变得朦朦胧胧，能见度很低。其实，这不是雾，而是霾。霾是一种灾害性天气现象。每到阴霾天，空气中就会悬浮着大量对健康有害的微粒。

像前几天一样，天刚亮，我和二丫就离开医院，准备回到翠湖公园去。

一走出医院的大门，我们就仿佛掉进了一座灰色的迷宫里，马路对面的房、树、人，都变得朦朦胧胧。

"好浓的雾哇！"二丫睁大眼睛，朝四下里看了看，"不过，这雾跟我以前见到的浓雾不一样。"

二丫的观察力总是这么敏锐。

于是，我问二丫怎么个不一样。

"我以前见到的浓雾是白色的，像牛奶。今天的雾却是灰色的。还有，"二丫耸了耸鼻子，"以前见到的雾没有气味，而今天的雾有一点点呛嗓子……"

二丫的感觉总是这么细腻。

"这不是雾，这是霾。"我告诉二丫，"这种阴霾天气是一种灾害性天气，对健康危害很大。"

今天，从我和二丫身边匆匆走过的行人都戴着厚厚的口罩。

现在正是二丫用嗓子的时候，她的嗓子特别需要保护。我记得这附近有棵树，树枝上挂着一方丝巾。这丝巾肯定是被风吹上去的，它的主人没法上树把它拿下来，所以它就一直挂在那儿了。只是，不知这丝巾现在还在不在那儿。

我找到那棵树，发现那方丝巾还挂在树枝上。我爬上树，将丝巾衔了下来，准备给二丫当口罩用。

刚回到翠湖公园，我和二丫就遇到了鹩哥。不，应该说鹩哥守在我和二丫的必经之路上等我们。

"啊，鹩哥！这么早，你有急事吗？"我问道。

"我哪有什么急事？我是为二丫着急。"鹩哥从树上飞下来，落在我们的面前。

　　鹩哥见二丫的脸上蒙着丝巾，急忙问："二丫怎么啦？"

　　我告诉鹩哥："这种阴霾天，空气里悬浮着许多有害的微粒，对喉咙和气管的危害非常大。二丫要唱歌，所以她的嗓子特别需要保护。"

　　"这么说，我的嗓子也需要保护。你觉得我应该怎么保护呢？"鹩哥问我。

　　鹩哥的嘴太尖，我一时想不出什么好办法来。好在，鹩哥并不在意。现在，他的心思都在二丫的身上。

　　"二丫不是拜我为师，想跟我学唱歌吗？她为什么一连好多天都不来找我？"

　　我告诉鹩哥："二丫每晚都在医院给那个植物人唱歌……"

　　还没听我把话说完，鹩哥就急了："我还没有把唱歌的技巧全部教给她，她怎么能现在就开始唱呢？"

　　我不知道该怎么给鹩哥解释。

鹩哥越想越生气，他气冲冲地问二丫："你还愿不愿意跟我学唱歌？"

二丫连忙点头，说她当然愿意。

"那么，我们现在就开始练习！"

"现在不能唱！"我阻止道，"在这种阴霾天，张大嘴巴唱歌，有害的微粒就会从嘴和鼻孔里进入身体。"

"如果二丫现在不跟我学，就永远别想再跟我学！"

鹩哥真是暴脾气。我只能甘拜下风。

我将鹩哥和二丫带到了梅园。这里空气清新，弥漫着蜡梅花香。

"我先唱一遍给你们听！"

鹩哥说完就亮开歌喉，唱了起来：

啊……啊……

夜夜想起妈妈的话

……

鹩哥的歌声婉转悦耳，完全可以用两个字来形容，那就是："完美"。这首歌里的每一个字、每一个音都被鹩哥处理得非常到位，让我找不出一点点瑕疵。然而，如此完美的歌声却没能打动我。

　　鹩哥唱完了。他想让二丫也
唱一遍。

　　"让我来听听你有哪些问
题！"鹩哥就是这么武断，还没听二丫唱，他就断定
二丫有问题。

　　二丫乖乖地又唱起了那首《鲁冰花》。不过，二丫
已经唱了整整一个晚上，现在明显不在状态。

　　"太让我失望了！"鹩哥非常生气，"要嗓音没嗓音，
要技巧没技巧。从此以后，二丫不再是我的学生！"

　　鹩哥怒气冲冲地飞走了。

　　二丫难过极了。我只好安慰她："不是你不能唱好，
而是你太累了。"

　　刚走出梅园的那道圆门，我就
看见了球球老老鼠。我赶紧让二丫
先回秘密山洞去吃早餐，因为过一
会儿，她还要帮聋哑老人卖报呢。

　　球球老老鼠戴着一个大口罩。

我知道，他是最会保养身体的，在这样的阴霾天出门，他当然害怕空气中的那些有害的微粒和病菌进入他的身体。

我和球球老老鼠又走进了梅园。

"这鬼天气！"球球老老鼠摘下口罩，长叹了一口气，"那鸟脾气真够大的！"

"艺术家嘛，大多脾气都不好。"我说，"我理解鹩哥的心情。他对二丫寄予厚望，而且他认为如果想把一首歌唱好，那么掌握歌唱技巧是最重要的。不过，我不同意他的观点。我认为，想把一首歌唱好，投入感情才是最重要的。"

球球老老鼠非常认同我的观点。他说："鹩哥的歌声让我真是挑不出任何毛病。可是，他的歌声为什么就不能打动我呢？"

"有感染力的歌声，能让你听到以后，心尖尖上有一颤一颤的感觉。在医院里，我听二丫唱《鲁冰花》时，我的心都快碎了。"

球球老老鼠问我："你真相信歌声能唤醒那个睡美人吗？"

"能！"我认真地点了点头。

很多年前，虎皮猫的耳朵被钟声震聋后，我就是
用我的真情感动了上苍，让虎皮猫的耳朵奇迹般地又
能听见声音的。从那以后，我就相信，只要有真情，
有信念，什么奇迹就都有可能出现。

在二丫的歌声里

第二天 天气：昨晚刮了一夜的风，还下了一阵雨。今天，雾霾似乎散去了一些，但天空还是灰蒙蒙的。

昨天，和球球老老鼠在梅园分别后，我就急匆匆地赶回家去。在回秘密山洞的路上，我一直担心二丫的情绪会因为鹩哥的指责而受到影响。

我回到秘密山洞时，二丫刚吃过早餐，正准备去翠湖公园的西门帮聋哑老人卖报纸。我小心翼翼地问她："今晚，你还去医院吗？"

"去呀！"二丫很认真地说，"依依的妈妈还没醒过来，我怎么能不去呢？"

还好，二丫的情绪并没有受到影响。我放心了。

我用球球老老鼠问我的话来问二丫："你真相信歌声能唤醒依依的妈妈吗？"

"当然！"

"你怎么这么肯定？"

二丫告诉我，昨天夜里，在依依妈妈的耳边唱《鲁冰花》时，她看见依依妈妈的睫毛在轻轻地颤动。

"那是你的幻觉吧？"我有些不敢相信。

"不是幻觉，是真的。"二丫说，"就在我唱到'天上的星星不说话，地上的娃娃想妈妈'的时候，我看见依依妈妈的睫毛在动，她似乎想睁眼又睁不开。"

我突然想起，在前几天夜里，病房里那些包得紧紧的百合花的花骨朵都悄悄地裂开了一个个绿豆大的小嘴儿。难道这是某种预兆？

"爸爸，我唱了无数遍《鲁冰花》，可我到现在还不知道鲁冰花到底是一种什么样的花呢。翠湖公园里有这种花吗？"

"鲁冰花不是开在公园里的观赏花，而是开在茶

园里的花。"我告诉二丫，"鲁冰花开在春天的茶园里，花朵凋谢后落入泥土，变成滋养茶树的肥料。无私奉献的鲁冰花在大家的心里已经成了世界上最无私、最伟大的一种爱的象征。"

"母爱！"冰雪聪明的二丫脱口而出，"啊，原来《鲁冰花》是一首歌颂母爱的歌！"

我们的生命都是妈妈给的。不过，依依的妈妈给了依依两次生命：第一次，依依的妈妈生下了依依；第二次，依依的妈妈在车祸发生时救了依依。

今天，我的心跳得似乎比平时快了一些。我莫名地激动不已，盼着天快些黑。

终于盼到了夜幕降临。我和二丫在夜色的掩护下，向医院奔去。

一推开307号病房的门，一缕幽香就游进了我们的鼻孔。那是从那些花骨朵绿豆大的小嘴儿中散发出来的百合花香。

今晚，我没有像往日那样跳上窗台，而是跟二丫一起轻轻爬上依依妈妈的病床。二丫趴在枕头的那一边，我趴在枕头的这一边。这样，在二丫唱歌时，依依的妈妈无论出现什么细微的变化，我们都能看得清楚。

　　雪白的被单和雪白的枕头，将依依妈妈的脸衬托得像白玉般光洁，将她的嘴唇衬托得像玫瑰一样娇艳；她那像弯曲的海藻一样的长发披散开来，将她衬托得如天使一样美丽。她双眼紧闭，又密又长的睫毛聚拢在一起，神情无比安详。

　　二丫在依依妈妈的耳边，轻轻地唱了起来：

　　　　啊……啊……

　　　　夜夜想起妈妈的话

　　　　闪闪的泪光鲁冰花

　　　　……

　　在今晚之前，二丫模仿依依一遍又一遍地唱着《鲁冰花》，在二丫的歌声里，我听到的是依依对她妈妈的一片深情。可是，在二丫今晚的歌声里，我除了听到依依对她妈妈的一片深情之外，还听到了二丫自己对这首歌独特的理解。

　　　　……

天上的星星不说话

地上的娃娃想妈妈

天上的眼睛眨呀眨

妈妈的心呀鲁冰花

家乡的茶园开满花

妈妈的心肝在天涯

夜夜想起妈妈的话

闪闪的泪光鲁冰花

……

我看到了！在二丫如泣如诉的歌声里，我真的看到奇迹出现了！

依依妈妈那又密又长的睫毛在轻轻地颤动，她那如玫瑰般娇艳的双唇正微微开启。我甚至能感受到她的呼吸。

啊……啊……

夜夜想起妈妈的话

闪闪的泪光鲁冰花

……

啊，我还看见两颗晶莹的泪珠从依依妈妈的眼角滚了出来！

　　二丫将《鲁冰花》唱了一遍又一遍，依依妈妈的眼泪一直在流，静静地流……也许，她的眼睛马上就要睁开了！然而，我并不希望她的眼睛在这个时候睁开，因为她睁开眼后，第一眼看见的应该是她最最心爱的、用她的生命换来的女儿——依依。

睡美人醒来了

第三天 天气：雾霾散尽。天空是这个冬天里难得一见的蓝天，阳光是这个冬天里最灿烂的阳光。

今天，我和二丫没有等到晚上才去医院。今早离开病房时，我们都有一种强烈的预感，我们不想错过依依的妈妈醒来的那个时刻，所以下午就来到了依依妈妈的病房。

病房里，香水百合的香气更浓了。那些百合花的花骨朵又绽开了一点点，露出了金黄的花蕊。这让我和二丫更加相信我们的预感。

我和二丫跳上窗台，躲在厚厚的窗帘后面，等待着依依的到来。

钟楼的钟声响了起来。已经是下午五点了。今天的时间过得特别慢，每一分钟都仿佛有一个世纪那么长。

走廊上响起了依依的脚步声。病房的门被轻轻地推开了。像往常一样，依依一进来就直奔她妈妈的床前。

"妈妈，我来啦！"

依依扑到她妈妈的身上，双手捧起她妈妈的脸："啊？妈妈，您哭了？"

依依发现了她妈妈眼角的泪痕。昨晚在二丫一遍又一遍地唱着《鲁冰花》的时候，她的妈妈突然流泪了。

就在这时，一位满头银发的老医生带着几位年轻的医生来查房。依依让医生们看她妈妈脸上的泪痕："我妈妈好像哭过……"

老医生仔细地看了看依依妈妈的脸，问依依："你妈妈什么时候流的泪？"

"不知道。"依依说，"我昨天傍晚离开的时候，妈妈的脸上还没有泪痕。"

"这就是说，病人是在夜里流泪的。"老医生对年

轻的医生们说，"病人流眼泪了，说明她开始有意识了，也说明我们的'亲情疗法'已经初见成效。"

"怎么会在夜里流眼泪？"一位年轻的女医生自言自语，"难道护士长说的是真的？"

老医生问年轻的女医生："护士长说什么了？"

"护士长说，最近在夜里，常常听见从这间病房里传出依依的歌声……"

"可是，夜里依依并不在病房里呀！"

"所以说奇怪嘛！"年轻的女医生说，"对这件奇怪的事情，护士长是这么解释的：因为依依老给她的妈妈唱《鲁冰花》，所以这间病房里装满了依依的歌声，就像水会从杯子里溢出来一样，依依的歌声也会从这间病房里往外流淌……"

老医生不置可否地笑了笑，他慈爱地摸摸依依的头："唱吧，依依！你的妈妈就要苏醒了……"

老医生带着年轻的医生们离开了病房，还轻轻地带上了病房的门。

依依趴在她妈妈的耳边，她那天籁般的歌声又回荡在这间病房里。

啊……啊……

夜夜想起妈妈的话

闪闪的泪光鲁冰花

……

当依依唱到第十二遍的时候，我看见依依的妈妈那又密又长的睫毛又开始轻轻地颤动起来。

显然，依依也看见了。

"妈妈，您听见了？您听见我唱歌了？您还记得吗？是您教会我唱《鲁冰花》的……"依依捧起她妈妈的脸，惊喜不已。

依依又一次深情地唱了起来：

……

天上的星星不说话

地上的娃娃想妈妈

天上的眼睛眨呀眨

妈妈的心呀鲁冰花

家乡的茶园开满花

妈妈的心肝在天涯

夜夜想起妈妈的话

闪闪的泪光鲁冰花

……

　　晶莹的泪珠，又一次从依依妈妈的眼角滚了出来，落到雪白的枕头上。

　　"妈妈，您哭了？"依依用小手替她的妈妈擦去泪水，"您为什么哭哇？"

　　依依妈妈的眼泪不停地流，枕头上很快湿了一大片。

　　"妈妈，您是不是想我呀？我就在您的身边，您睁开眼睛看看我吧！看看我吧……"

　　依依的妈妈那又密又长的睫毛剧烈地颤动起来。啊，她在使劲地睁眼睛！

　　"妈妈，快睁开眼看看我！快睁开眼……"

　　啊，睁开了！依依妈妈的眼睛终于睁开了！她的眼睛又黑又亮，泪光闪闪，就像天上的星星。

　　睡美人终于醒来了！

　　依依的妈妈看着心爱的女儿，眼睛里充满了爱意。

"妈妈！妈妈……"

依依叫着"妈妈"，一会儿哭，一会儿笑。

依依的妈妈微笑着，她眼里的泪却止不住地流。

只有经历过生离死别，才会如此悲喜交集。

"妈妈，您看！这是您最喜欢的香水百合。昨天，这束花还全是花骨朵。这会儿您醒了，花也全开了！"依依将床头柜上的花瓶抱到她妈妈的眼前，"妈妈，您闻闻！好香啊！"

病房里满是百合花浓郁的芳香。

我回想起在新年的钟声里，依依手捧青翠的香水百合，站在她妈妈的病床前，许下了她的新年愿望：

我希望这些花骨朵，在冬天里也能开出美丽的花。

我希望花开的时候，就是妈妈醒来的时候。

记忆的相册

Qin'ai de Zaizai
亲爱的仔仔

书香台湾

《杨红樱科学童话》系列在台湾出版。

在敦煌书局给小朋友们讲科学童话。

2013台北国际书展。

台湾的"故事妈妈"制作的根据杨红樱创作的科学童话《寻找美人鱼》改编的童话剧的海报。

敦煌书局陈列《杨红樱科学童话》系列的专架。

台湾的妈妈们非常重视孩子们的课外阅读。

"故事妈妈"们和孩子们一起表演童话剧《寻找美人鱼》。

全国"樱桃"总动员

北京黄城根小学

送给杨红樱

作者：郭开新（北京黄城根小学四年级三班）

您的作品是我的童年里不可缺少的伙伴。读了您的书，我积累了很多好词、好句。这对提高我的作文水平大有帮助。您已出版的《笑猫日记》我全部读完了，期待着新的《笑猫日记》能快点出版。
——北京黄城根小学五年级二班　韩旭

作者：王梓涵（北京黄城根小学三年级六班）

作者：周诗南（北京黄城根小学四年级五班）

作者：赵漪凡（北京黄城根小学四年级一班）

作者：李希源（北京黄城根小学三年级四班）

杨红樱老师，我读过的第一本书是您写的《鼹鼠妈妈讲故事》。目前，我正在读《笑猫日记》。您笔下的每一个人物都非常生动，仿佛就是我们身边最熟悉的朋友和亲人。从您作品的字里行间，我能感受到您是一个热爱生活、美丽、温柔的人，更难得的是您还保留着一颗纯真的童心。您是我们小朋友最喜欢的大朋友。我梦想着长大以后也可以成为一个像您这样的人。

——北京黄城根小学三年级六班 王梓涵

图书在版编目（CIP）数据

会唱歌的猫 / 杨红樱著.—济南：明天出版社，
2013.6（2016.9重印）
（笑猫日记）
ISBN 978-7-5332-7433-7

Ⅰ.①会⋯ Ⅱ.①杨⋯ Ⅲ.①童话－中国－当代
Ⅳ.①I287.7

中国版本图书馆CIP数据核字(2013)第088202号

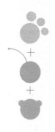

笑猫日记

会唱歌的猫

出版人：傅大伟
出版发行：明天出版社
社址：山东省济南市经九路胜利大街39号
邮编：250001
http://www.sdpress.com.cn
http://www.tomorrowpub.com
各地新华书店经销
山东新华印务有限责任公司印刷

145毫米×187毫米 32开 5.5印张 8插页 71千字
2013年6月第1版 2016年9月第22次印刷
印数：1590001-1610000
ISBN 978-7-5332-7433-7
定价：15.00元

如有印装质量问题，请与出版社调换。0531-82098710